D0190124

POUR L'ASSEMBLÉE DE BRETAGNE

Manifeste

pour une mutation institutionnelle

Du même auteur :

Manuel de survie à l'Assemblée Nationale : l'art de la guérilla parlementaire,
en collaboration avec Magali Alexandre,
Préface Bastien François,
Odile Jacob, 2012

Sécurité, ce que la gauche devrait faire,
Fayard, 2011

Jean-Jacques
URVOAS

POUR L'ASSEMBLÉE DE BRETAGNE

Manifeste

pour une mutation institutionnelle

éditions dialogues

ISBN 978-2-918135-94-4

Avertissement

La querelle historique entre Jacobins et Girondins a vécu. S'appuyer sur une telle grille d'interprétation, c'est se condamner à fonder son raisonnement sur des arguments dépassés. Lorsque ces deux camps s'affrontaient, il n'y avait pas d'État sous la forme que nous connaissons. L'Ancien Régime était mort, et les divergences entre révolutionnaires portaient sur le rôle à attribuer au nouveau pouvoir.

Les premiers croyaient à la prééminence de Paris et entendaient en faire la matrice des institutions en devenir. Les seconds voulaient en réduire l'influence à celle d'un simple département. Mais, comme l'a démontré Tocqueville, la logique du processus centralisateur amorcé sous la monarchie ne pouvait que dicter le choix d'un État fort.

Aujourd'hui, celui-ci fait partie de notre vie quotidienne. Il est même parvenu à se rendre indispensable. Chacun s'en plaint mais tout revient toujours vers lui et rien n'est possible sans lui.

Ce livre n'est donc pas un libelle contre l'État. C'est seulement l'expression d'une impatience contre une organisation foncièrement sclérosée, intrinsèquement conservatrice et, in fine, profondément injuste.

Il ne s'agit pas plus d'un essai théorique mais d'un combat. Mon but est moins d'informer que d'alerter sans réelle ambition d'exhaustivité. Je ne doute pas que les zélateurs de la centralisation, ils sont nombreux, s'efforceront d'y puiser des arguments pour expliquer que ce qui est suggéré n'est pas possible. Je prends le pari qu'ils devront s'incliner devant la réalité.

C'est un acte politique proclamant une exigence : la création de l'Assemblée de Bretagne ne relève pas de la science du possible mais de l'art du nécessaire. Car le destin n'existe pas. Pas plus que la fatalité qui consiste à croire qu'il faut se résigner à l'inaction. L'histoire est mouvement. Celle de la Bretagne s'écrit en ce moment. L'ironie de la situation mérite d'être soulignée : c'est une initiative gouvernementale qui fournit à notre région l'opportunité de concrétiser son ambition territoriale. Reste à impliquer et à mobiliser les citoyens, ce qui dans une démocratie constitue le seul truchement légitime du changement. Puisse ce manifeste y contribuer activement.

Introduction

Le projet d'Assemblée de Bretagne est le fruit d'une heureuse rencontre entre une conviction personnelle solidement ancrée et une opportunité politique que rien, jusqu'à ces derniers mois, ne laissait présager.

Député à mandat unique, je crois à l'importance des pouvoirs locaux. C'est pourquoi, lorsque la commission des lois décida, dès le début de la précédente législature, de conduire une *« mission d'information sur la clarification des compétences des collectivités locales »*, je m'y suis investi avec conviction. Il s'agit d'ailleurs là de ma première responsabilité parlementaire : le 19 décembre 2007, je fus désigné co-rapporteur, au titre de l'opposition où je siégeais alors, de ce travail d'investigation aux côtés du député UMP de la Charente, Didier Quentin.

Plusieurs mois furent nécessaires à l'audition consciencieuse et méthodique des représentants de l'ensemble des associations d'élus locaux, de hauts fonctionnaires ainsi que d'universitaires et d'experts. L'expérience se révéla aussi marquante qu'édifiante.

Les avis recueillis étaient unanimes. Tous convergeaient pour considérer qu'à la grande inspiration initiale s'était peu à peu substituée une vision technique, voire technocratique de la décentralisation. Alors que les lois Defferre avaient changé le visage de la France en misant audacieusement sur la démocratie locale et en instaurant un climat de franche confiance avec les élus locaux, la belle dynamique s'était par la suite, peu à peu, essoufflée.

À coup de transferts de charges mal compensés, de mise à mal continue du principe d'autonomie fiscale, de petites réformes inachevées, mal agencées et parfois mal intentionnées, d'accusations injustes lancées au hasard des succès des uns ou des autres aux élections locales, et de renoncement à une grande ambition nationale d'aménagement du territoire, le doute a fini par s'installer.

Les succès éclatants (les TER ont été sauvés puis redynamisés et développés, les collèges et les lycées modernisés, les routes rénovées, les déplacements facilités, les politiques de solidarité redéployées avec efficacité, des pratiques culturelles inventées) se sont estompés. Parallèlement l'indifférence s'est installée comme en témoigne la progression du taux d'abstention lors les scrutins locaux. Et la méfiance, voire l'hostilité commencent à poindre chez nombre de nos concitoyens qui en viennent à imputer aux élus territoriaux la responsabilité d'une bonne part de leurs difficultés.

La décentralisation, qui devait être une chance pour la République, semblait dévitalisée. Elle s'épuisait en raison du morcellement des lieux de décision, de la persistance de la concentration parisienne des élites. L'uniformité reprenait peu à peu le pas sur l'esprit d'initiative. Le très dense enchevêtrement des compétences entre les différents échelons d'administration territoriale devenait inexorablement un facteur de lenteur dans la prise de décision, entraînant un coût financier sans cesse plus conséquent. L'illisibilité de l'action publique infra-étatique dégradait inexorablement le pacte démocratique local.

Notre rapport, déposé le 8 octobre 2008, entendait tirer toutes les conséquences de cette situation passablement altérée. Dix propositions, toujours audacieuses, parfois radicales, furent ainsi avancées dans la perspective, volontiers iconoclaste, d'un *« big-bang territorial »*[1].

1. Quentin Didier, Urvoas Jean-Jacques, *Pour un big-bang territorial, dix principes pour clarifier l'organisation territoriale française*, Rapport d'information au nom de la commission des lois, Assemblée nationale, n°1153, 8 octobre 2008.

Des corrections souhaitables qu'il convenait d'apporter à la distribution des compétences aux mécanismes envisageables afin de favoriser le nécessaire regroupement des collectivités, les suggestions hardies ne manquaient pas. Y étaient entre autres préconisées la création de *« métropoles »* résultant du regroupement des conseils généraux et des intercommunalités, la fin des financements croisés, des fusions de régions ou encore d'une région et de ses départements dans une collectivité dénommée *« grande région »*...

Si l'on ne peut dire que l'accueil réservé à ce rapport fut enthousiaste, quelques-unes de ses idées, reprises dans d'autres contributions[2], connurent un certain succès. Ainsi la loi du 16 décembre 2010[3] introduisit dans le code général des collectivités territoriales un nouvel article L. 4124-1 autorisant la naissance de ces *« grandes régions »*. Malheureusement la procédure retenue à cette fin, ainsi qu'il sera évoqué plus loin, fut encadrée si drastiquement que sa mise en œuvre en l'état s'avère pour le moins problématique et son aboutissement franchement illusoire. Les Alsaciens l'ont découvert à leurs dépens le 7 avril 2013 quand, bien qu'ayant très majoritairement voté en faveur de l'instauration d'une collectivité unique se substituant au conseil régional ainsi qu'aux deux conseils généraux, ils virent néanmoins le projet rejeté pour de complexes raisons liées au taux de participation et à la victoire du *« non »* dans l'un des départements concernés par la consultation.

Au demeurant, cet exemple illustre combien le quinquennat de Nicolas Sarkozy s'inscrivit à rebours du mouvement continu qui, depuis 1982, s'efforça d'approfondir la décentralisation en vue d'obtenir une meilleure efficacité des services publics. Sa réforme de 2010 révèle en effet une réelle volonté de recentralisation. En théorie, les regroupements de collectivités devenaient certes possibles mais en réalité ils étaient rendus impraticables en raison d'un empilement méthodique d'entraves juridiques.

2. Cf. par exemple Krattinger Yves, *Des territoires responsables pour une République efficace*, rapport d'information, Sénat, n° 49 (2013-2014), 8 octobre 2013.

3. Loi n° 2010-1563 du 16 décembre 2010 portant réforme des collectivités territoriales.

L'audace, d'accord, mais tempérée par l'intangible respect dû au statu quo…

L'alternance venue, la gauche ne se montra guère plus empressée sur le front de fusions que, longtemps, elle ne fit rien pour encourager. Dix-huit mois durant, l'objectif fut plutôt de conforter chaque échelon territorial dans ses traditionnelles prérogatives que d'ouvrir de nouveaux chantiers. C'était sans doute le prix à payer pour restaurer le lien de confiance, si altéré de 2007 à 2012, entre l'État et les collectivités. Ainsi, si la loi du 27 janvier 2014 de modernisation de l'action publique territoriale et d'affirmation des métropoles procéda bien à un certain nombre de fusions, celles-ci ne concernaient qu'un nombre de territoires extrêmement restreint (métropole du Grand Paris, métropole d'Aix-Marseille-Provence, Métropole de Lyon) et dans une logique de consécration du fait urbain. Rien de plus contraire, pour le coup, à l'esprit *« big-bang »*, volontiers porté à considérer que les frontières, toutes les frontières, sont faites pour être transgressées…

C'est alors que la conviction personnelle croisa l'opportunité politique.

Ce fut d'abord, le discours de Jean-Marc Ayrault à Rennes le 13 décembre 2013. On se souvient dans quelles circonstances il fut prononcé : durant l'automne, le mouvement des bonnets rouges avait embrasé la Bretagne, sur fond de crise, d'une ampleur sans précédent, du secteur agroalimentaire. Ses revendications portaient essentiellement sur des enjeux d'ordre socio-économique (suppression de l'écotaxe, allégement des charges fiscales, fin du dumping social…), ce qui n'excluait pas pour autant une dimension plus institutionnelle – la *« relocalisation des décisions »* s'imposant comme l'un des objectifs à promouvoir. C'est dans ce contexte que le Premier ministre vint donc signer à Rennes le *« pacte d'avenir pour la Bretagne »*, fruit de six semaines d'échanges utiles avec les collectivités de la région et les organisations syndicales ou professionnelles ainsi que d'une trentaine de réunions rassemblant des centaines de personnes. Le chef du Gouvernement profita de l'occasion pour annoncer *« un approfondissement de la décentralisation »*, mais surtout il invita la Bretagne à se porter à l'avant-garde de ce combat afin de continuer à « être une région pionnière » en la matière.

Concrètement, Jean-Marc Ayrault dévoila même les outils permettant d'atteindre l'objectif escompté, indiquant qu'un prochain projet de loi allait autoriser non seulement l'expérimentation *« de modes d'organisation innovants, ou l'exercice différencié de certaines compétences »*, mais en plus qu'il était favorable à ce que les futurs textes *« laissent davantage de marge de manœuvre au pouvoir réglementaire que les régions pourront exercer pour adapter les règles aux spécificités des territoires »*. En quelques phrases, pour la première fois, un Premier ministre osait rompre avec un principe désuet remontant au Premier consul, selon lequel seule une application réglementaire uniforme était susceptible de garantir l'équité entre des territoires aux potentiels et aux vocations divers !

Puis vint quelques semaines plus tard, le 14 janvier 2014, la conférence de presse du chef de l'État. La réforme des collectivités y tint une place d'autant plus centrale – et inattendue ! – que le propos de François Hollande était totalement organisé autour de son souci revendiqué d'efficacité et de réduction de la dépense publique. Dans cet esprit, il annonça que la nouvelle loi devrait permettre *« de mettre un terme aux enchevêtrements et doublons »* des communes, intercommunalités, départements et régions. Et il préconisa la fusion des collectivités, tant des régions *« dont le nombre est susceptible d'évoluer »* que des départements qui pourraient être conduits à se regrouper ou à s'intégrer aux nouvelles métropoles instituées par la loi du 27 janvier 2014. Pour bien marquer l'ampleur de ses ambitions, il n'hésita pas à préciser que les dotations de l'État, si vitales pour chaque échelon territorial, pouvaient demain varier *« en fonction des efforts de chacun »*.

Ce discours marqua beaucoup plus qu'un changement de braquet, une véritable donne nouvelle. Une phase s'ouvrait, où l'audace, l'inventivité, l'anticonformisme pouvaient devenir le moteur non plus d'une énième adaptation destinée à modifier à la marge – sans fâcher quiconque – la répartition des compétences des uns et des autres, mais d'une incontestable mutation territoriale et démocratique. Une opportunité surgissait pour hâter le train des réformes destinées à repenser l'organisation des territoires.

Comment ne pas la saisir ? Ce fut l'objet de cette proposition d'Assemblée de Bretagne portée sur la place publique le 23 janvier 2014 dans un entretien avec Christian Gouérou publié par *Ouest-France*. Je n'en suis ni le concepteur, ni l'unique promoteur. Sous des formes diverses et avec des ambitions différentes, on en retrouve une filiation dans le *« parlement régional »* que défend depuis des décennies l'Union Démocratique Bretonne, notamment dans son *« statut particulier pour la Bretagne »* adopté à l'issue d'une convention tenue à Ploemeur, le 29 mai 1999, ou dans le *« Conseil de Bretagne »* évoqué par Bernard Poignant en 2010[4]. Tous partagent l'idée que face à la dispersion des pouvoirs, un modèle plus compact de nos institutions territoriales permettrait de garantir bien mieux qu'aujourd'hui la nécessaire réactivité de l'action publique.

Survint enfin la retentissante déclaration de politique générale de Manuel Valls qui sortit ce dessein de l'univers de la réflexion pour le projeter dans celui de la possible concrétisation. En effet, le 8 avril 2014, le nouveau Premier ministre suscita un véritable choc politique en annonçant rien de moins que la réduction de moitié du nombre de régions dans l'hexagone d'ici 2017 et la suppression des conseils départementaux d'ici 2021, voire même avant.

Ce projet radical trouva naturellement un écho certain en Bretagne où il renouvela en profondeur le contenu du débat qui s'amorçait. Désormais, l'alternative n'est plus entre la

4. Poignant Bernard, *Bretagne unique ou unifiée ?*, 14 novembre 2010, www.bernard-poignant.fr

préservation de l'ordre institutionnel établi et la mise en place d'une collectivité unique. Elle est entre une Bretagne confortée dans ses ambitions, réunifiée et rayonnante, et une Bretagne noyée dans un *« Grand Ouest mou »* pour reprendre l'expression de Jean-Yves Le Drian[5], construction inconsistante, où elle perdrait toute prise sur sa destinée et où sa singularité finirait immanquablement par se diluer.

Cette nouvelle configuration doit conduire à affûter les arguments et à préciser les évolutions. C'est l'intention qui sous-tend ce manifeste. Il est le fruit d'une réflexion sur les démarches, abouties ou avortées, déjà entreprises en vue de constituer une collectivité unique, que ce soit en métropole (Corse, Alsace) ou en outre-mer (Mayotte, Guadeloupe, Guyane). Il est aussi l'expression d'une volonté, celle de faire partager une ambition qui, pour se concrétiser, doit prendre la mesure de tous les freins susceptibles de ralentir, voire d'entraver sa montée en puissance.

Le débat s'annonce passionnant et n'importunera que ceux qui se satisfont frileusement du statu quo. Il ne concerne pas que les élus et ne doit surtout pas se réduire à une confrontation technique réservée à quelques spécialistes des institutions. L'enjeu peut aisément se résumer : puisque notre pays souffre d'un excès de structures locales et d'un déficit de pouvoirs locaux, la Bretagne choisit-elle de défricher une voie singulière ou succombe-t-elle à la passivité, se résignant par avance au nouveau cadre législatif qui lui sera imposé ?

Notre région est à la croisée des chemins, comme elle ne l'a selon toute vraisemblance jamais été depuis des siècles. Pour ma part, mon choix est fait. Breton, je le suis tout autant que Français, Européen et citoyen du monde. Ces appartenances composites ne s'opposent pas, elles se vivent de manière complémentaire, paisiblement. Point n'est besoin d'insister sur ce point, tant Mona Ozouf[6] a, très justement, décrit cette tension permanente qui irrigue notre pays entre l'esprit national et le génie des territoires

5. Magazine *Bretons*, n°97, avril 2014.
6. Ozouf Mona, *Composition française,* Gallimard, 2009.

qui le composent et qui fait de notre République un régime unitaire sans être uniforme. Sur deux millénaires, des femmes et des hommes ont passionnément entretenu cet attachement à la Bretagne en le transmettant à leurs enfants. Comme eux, pour moi, la *« Bretagne est désir »*[7] !

Quelques remarques liminaires préciseront d'abord la manière dont pourrait s'organiser, sur le plan institutionnel, cette future Assemblée de Bretagne. Puis je détaillerai les propositions que je compte défendre lors de la discussion de la nouvelle loi de décentralisation afin de rendre cette évolution possible. Il s'agira ensuite d'évoquer les avantages, nombreux, que la Bretagne serait susceptible de tirer de la nouvelle organisation territoriale ainsi suggérée. Enfin, la présentation des différents modèles de collectivité unique, élaborés jusqu'à présent en métropole ou en outre-mer, qu'ils aient, ou non, été entérinés par les électeurs des territoires concernés, permettra de cerner les difficultés potentielles.

7. Le Boulanger Jean-Michel, *Être breton*, Éd. Palantines, 2013.

1 - Évacuer les mauvais procès

Si l'*« on ne sort de l'ambiguïté qu'à son détriment »*, comme l'a écrit ce frondeur roué que fut le cardinal de Retz, l'on ne s'y laisse pas pour autant enfermer sans risque, et la désaffection croissante des Français à l'égard de la vie politique n'est pas sans rapport avec l'indéniable propension à y succomber de bien des élus. Il convient donc, dans l'intérêt du sujet, de dissiper les confusions qui peuvent être sciemment entretenues, et qui constituent un obstacle rédhibitoire à la tenue de la controverse sereine et constructive qui doit précéder la mise en œuvre de l'Assemblée de Bretagne.

« C'est le retour du conseiller territorial ! »

Il faut d'abord tordre le cou à une idée reçue largement ressassée et qui, bien que souvent formulée avec beaucoup d'aplomb, relève au final de la pure ineptie. L'Assemblée de Bretagne ne serait que la reprise, à l'échelle de notre seule région, du projet de conseiller territorial voulu par Nicolas Sarkozy et mis en œuvre par le gouvernement de François Fillon – projet qu'avec d'autres j'avais alors combattu au Parlement. Serais-je donc inconséquent au point d'encenser aujourd'hui ce que, hier encore, je vouais aux gémonies ?

Rappelons ce que fut – ou plutôt ce qu'aurait dû être, s'il avait vu le jour – le conseiller territorial institué par la loi du 16 décembre 2010. Il s'agissait de maintenir deux collectivités de plein exercice, pourvues chacune d'un conseil, mais en en confiant l'administration à un conseiller unique, élu au scrutin uninominal, dont la vocation eût été de siéger à la fois à la région et au département.

Cette réforme présentait bien des inconvénients. Elle aurait d'abord généré une véritable institutionnalisation du cumul des mandats. Elle aurait ensuite porté un coup fatal à la parité, condamnée par un mode de scrutin inévitablement préjudiciable aux femmes. Celles-ci, rappelons-le, ne représentaient que 13,8 % des élus aux élections cantonales de 2011…

L'évolution projetée aurait encore abouti à la création d'assemblées absolument ingouvernables – les régions en raison d'un nombre beaucoup trop élevé d'élus, les départements faute d'un nombre suffisant de conseillers pour exercer l'ensemble des compétences. Ainsi, en Bretagne administrative, 190 conseillers territoriaux étaient appelés à siéger à Rennes contre 83 aujourd'hui au sein du Conseil régional, dont 35 issus des Côtes-d'Armor (52 élus actuellement au conseil général), 55 du Finistère (54), 57 d'Ille-et-Vilaine (53) et 43 du Morbihan (42).

Non seulement aucune économie n'en aurait résulté, mais en outre cette réforme se serait traduite par un surcoût tout à fait substantiel pour les finances publiques, estimé par un rapport du Sénat du 8 novembre 2011 à plusieurs centaines de millions d'euros[8].

Mais le plus grave sans doute eût été le sort réservé à l'échelon régional dans cette nouvelle configuration territoriale. Certes, le comité Balladur[9], dont les conclusions ont servi de fondement aux initiateurs de la réforme de 2010, envisageait bien l'aménagement d'un système transitoire qui aurait fait des départements *« des composantes des régions »*, préalablement à leur *« évaporation »* finale. Et de fait, certains élus, à l'instar de Pierre Mauroy

8. Gorce Gaëtan, Rapport n° 87 (2011-2012), commission des lois, Sénat, 8 novembre 2011, p. 17.

9. Comité pour la réforme des collectivités locales, *Il est temps de décider*, rapport au président de la République, 5 mars 2009.

et d'André Vallini, s'inquiétèrent, dans leur opinion personnelle annexée au rapport, du possible effacement, étant donné les préconisations adoptées, des préoccupations départementales au profit de la stratégie régionale. Scénario en vérité très discutable, pour ne pas dire hautement improbable. Le mode de scrutin retenu pour la désignation de ces conseillers, uninominal, calqué sur celui en vigueur pour les élections départementales, aurait eu en effet pour conséquence quasi-mécanique d'induire une forme de *« cantonalisation »* de la région, dont la prise en compte des intérêts d'ensemble ne risquait guère d'être la priorité d'élus surtout soucieux de privilégier *« leur »* micro-territoire. Bref, cette réforme aurait conduit à marche forcée vers l'instauration de fédérations de départements, assez proches au final dans leur fonctionnement des établissements publics qui précédèrent l'avènement des conseils régionaux, collectivités territoriales de plein droit, en 1982.

Autant dire combien il faut se réjouir de l'abrogation par la loi du 17 mai 2013 du conseiller territorial...

Pour saisir réellement ce qu'est l'Assemblée de Bretagne, il suffit d'une certaine manière de prendre l'exact contre-pied de ce qui vient d'être décrit. Elle se traduira par la fusion des collectivités tandis que la réforme de 2010 entendait fusionner les élus. Elle garantira la parité hommes-femmes là où le texte de 2010 l'aurait délibérément sacrifiée. Elle s'affranchira du cumul des mandats quand la loi 2010 l'aurait consacré. Elle permettra la constitution d'une assemblée dont les dimensions seraient adaptées aux compétences qu'il lui reviendrait de traiter, tandis que la réforme de 2010 organisait l'impuissance d'hémicycles rendus ingérables par leur sous-effectif ou, au contraire, leur sureffectif. Elle générera de significatives économies d'échelle quand la loi de 2010 aurait eu pour effet d'occasionner une explosion notable de la dépense publique. Enfin et peut-être surtout, elle créera les conditions d'une prise en considération optimale de l'intérêt régional tandis que la réforme de 2010 marginalisait celui-ci au profit d'intérêts locaux certes légitimes mais par essence plus limités.

La Bretagne avait tout à perdre à l'entrée en vigueur du conseiller territorial, elle aura tout à gagner à la concrétisation du projet de collectivité unique.

« Ce n'est pas le moment ! »

C'est un autre argument fréquemment avancé par les contempteurs du projet : bien qu'intéressant, celui-ci serait inopportun puisque les attentes de nos concitoyens, dans la crise que le pays traverse, concerneraient exclusivement l'emploi, le pouvoir d'achat, l'éducation. Bref, ce ne serait tout simplement pas le moment pour une Assemblée de Bretagne.

Une observation qui, assurément, mérite d'être quelque peu relativisée. Depuis la IIIème République, les textes de loi et les rapports parlementaires s'empilent qui préconisent une nouvelle configuration territoriale par la remise en cause de l'échelon départemental. Citons, par exemple, la proposition du député du Cartel des Gauches, Jean Hennessy, en date du 29 avril 1915 (suppression du département et du canton), ou celle du député *« républicain du centre »* Michel Walter en date du 1er juin 1934 (suppression du seul département, et uniquement en Alsace). Or chacune de ces démarches s'est heurtée à la même fin de non-recevoir : *« Ce n'est pas le moment. »* Pour leurs détracteurs, ce n'était pas hier le moment, ce ne l'est pas aujourd'hui et gageons que ce ne le sera pas non plus demain… L'argument donc n'a guère de sens dès lors qu'il en est fait usage quel que soit le contexte politique. Son but ultime n'est jamais que de neutraliser à la source un débat embarrassant dont on veut à tout prix éviter la tenue.

Un autre leitmotiv du discours invariablement tenu par les partisans du statu quo – peu importe d'ailleurs l'objet de la réforme proposée – consiste à affirmer que celle-ci serait en complet décalage avec les *« vraies »* préoccupations de la population. Dès lors, plutôt que de se disperser, il conviendrait de concentrer ses forces sur l'essentiel, à savoir la question économique et sociale. En d'autres termes, les enjeux institutionnels constitueraient un luxe que l'on ne pourrait se permettre en temps de crise.

L'argument mérite sans doute considération, mais alors il devrait aussi avoir pour effet, logiquement, de discréditer toute intervention publique dans les domaines, par exemple, de la culture, des sports ou de la coopération internationale. Or personne ne semble s'offusquer de l'action de l'État et des collectivités en la matière, comme si, en fin de compte, il y avait des *« dispersions »* plus tolérables que d'autres !

À rebours de cette argumentation, je défends la thèse que ce projet peut-être une réponse – certes partielle, mais cependant réelle – au climat de profonde suspicion qui mine la vie politique.

Ce triste constat de défiance est patent. La dernière étude portant sur les fractures françaises[10] réalisée pour la Fondation Jean-Jaurès et le CEVIPOF par IPSOS l'atteste de manière saisissante. Elle dévoile l'état d'esprit d'un pays où la méfiance et le pessimisme tiennent le haut du pavé ; d'un pays très majoritairement craintif, convaincu de son déclin, fortement tenté par le rejet des autres et par son corollaire, le repli sur soi. L'enquête révèle ainsi que le niveau d'adhésion aux critiques contre la vie publique, pourtant déjà très élevé en 2013, gagne encore du terrain. Pour 65 % des Français (+3), la plupart des hommes et des femmes politiques sont corrompus. 84 % (+2) considèrent qu'ils agissent principalement en fonction de leurs intérêts personnels. Et en sus, la conviction qui progresse de la manière la plus

10. *« Fractures françaises »* ; un sondage Ipsos-Steria pour *Le Monde*, France Inter, la Fondation Jean Jaurès et le Cevipof, réalisé par internet du 8 au 14 janvier 2014, auprès de 1 005 personnes.

spectaculaire est celle selon laquelle *« le système démocratique fonctionne mal, mes idées ne sont pas bien représentées »* (+ 6 points à 78 %)[11]. Peut-on mieux appréhender la crise extrême de notre *« vivre ensemble »* ?

En quoi l'Assemblée de Bretagne peut-elle contribuer à réduire cet inquiétant fossé ? Tout simplement parce qu'elle repose sur une double volonté de simplification, demande régulièrement formulée par nos concitoyens, et de lisibilité de l'action publique, objectif soutenu par tous les élus. À l'échelon régional, elle relève des mêmes logiques que celles qui inspirèrent les lois fondatrices de 1982, lesquelles irriguèrent et revitalisèrent notre démocratie comme elle ne l'avait jamais été.

Pour François Mitterrand, il s'agissait de décorseter les territoires après trois siècles d'omnipotence et d'omniprésence de l'État central. Il fallait rompre avec l'héritage du gaullisme, du pompidolisme et du giscardisme, qui avait porté à un haut degré l'affaiblissement politique des élus locaux. La décentralisation modèle 1982 était, disait-il, *« le maître mot d'une expérience de progrès »*[12]. En 2014, il s'agit de renouer avec cet esprit en reconnaissant que le modèle homogène encore dominant aujourd'hui a vécu et que les grandes mutations territoriales (périurbanisation, développement hétérogène des territoires…) imposent un changement d'approche. Il convient de reconnaître le fait territorial en construisant un système administratif cohérent et en rebâtissant un lien de confiance avec le citoyen par l'exemplarité de la méthode.

D'ailleurs, quoi qu'en disent les détracteurs du projet, celui-ci s'est imposé en quelques semaines comme un élément majeur du débat politique. Rappelons à ce stade le sondage de l'IFOP[13] révélant que 60 % des Français sont favorables à la suppression des départements et à la réduction de moitié du nombre des

11. La hausse est particulièrement nette chez les moins de 35 ans (+ 12 à 84 %).

12. Cité par Laurent Fabius dans *La lettre de l'Institut François-Mitterrand*, n° 6, décembre 2003, p. 3.

13. Enquête réalisée pour *Sud-Ouest Dimanche* du 9 au 11 avril 2014 auprès d'un échantillon de 978 personnes représentatif de la population.

régions. Un tel résultat se révèle d'autant plus spectaculaire qu'il marque un complet renversement de l'opinion en quelques années. En effet, voici seulement six ans, une enquête identique[14] soulignait que seuls 39 % des Français étaient favorables à la suppression des départements, 59 % s'y opposant. L'explication à cette évolution tient probablement au fait que le maillage complexe du territoire et le coût des doublons administratifs sont de plus en plus volontiers pointés du doigt. Sous l'effet d'une crise économique prolongée, la perspective de supprimer un niveau de collectivité a fait son chemin dans les mentalités. C'est sans doute aussi pour cette raison que les sondés approuvent également, outre le projet de suppression de l'échelon départemental, celui de regroupement des régions pour, en définitive, en réduire le nombre de moitié.

« La Bretagne n'a pas la taille critique ! »

Bernard Poignant a récemment développé cet argument : *« Puisqu'on recherche, certes, des économies de fonctionnement, mais aussi des tailles de collectivités à l'échelle européenne, cet ensemble [Bretagne, les Pays de la Loire et le Poitou Charentes] aurait du poids »* écrit-il sur son blog le 6 mai 2014.

Une fois n'est pas coutume, je ne me retrouve pas dans sa suggestion. La superficie de la Bretagne dans sa dimension historique est de 34 000 km^2 et sa population s'élève à 4,5 millions d'habitants. À titre de comparaison, son territoire se révèle plus étendu que celui de la Belgique (30 500 km^2), et elle est plus peuplée que huit des vingt-huit pays de l'Union européenne, et qu'onze des seize länder allemands.

Sauf à considérer que ces derniers, en dépit de leur richesse et de leur dynamisme, sont foncièrement inadaptés aux enjeux de notre époque et condamnés par la mondialisation, l'argument

14. Enquête réalisée pour *Sud-Ouest Dimanche* du 2 au 3 octobre 2008 auprès d'un échantillon de 1 004 personnes représentatif de la population.

de la *« collectivité à l'échelle européenne »* ne porte pas. De même, on conviendra aisément que l'Île-de-France puisse être qualifiée de *« région industrielle »* mais le fait qu'elle n'ait aucun accès à un grand port est-il sans conséquence quand l'on sait que 80 % des marchandises dans le monde sont transportées par voie maritime ? En réalité, la force d'un territoire ne s'évalue pas à sa taille, mais à l'ampleur des compétences qu'il peut exercer.

La Bretagne est parfaitement en mesure de relever n'importe quel défi, agricole, agroalimentaire, maritime, pour peu qu'on veuille bien lui en donner les moyens, ce qui est justement l'objectif du projet de collectivité unique…

« Respectons le calendrier national ! »

C'est le cœur de l'argumentation développée dans une tribune libre parue dans la presse régionale le 17 avril 2014 et signée par les trois présidents socialistes des conseils généraux de la Bretagne administrative. Pierre Maille, Claudy Lebreton et Jean-Louis Tourenne y estiment que le respect intangible des lointaines échéances fixées par Manuel Valls (suppression des conseils départementaux en 2021) devrait s'imposer à tous, Bretons compris.

Cette position s'entend mais n'invalide pas le cœur du projet d'Assemblée de Bretagne. Car la véritable question à se poser est celle de l'échelle territoriale pertinente pour que l'action publique produise ses effets de manière optimale. De fait, en fonction des réalités locales, le levier d'intervention idoine peut être la région, le département, la métropole, l'agglomération ou le pays. Tenons compte en conséquence des spécificités de la Bretagne – et de ses aspirations, réelles, qu'illustre le fait que son conseil régional fut la seule collectivité française de ce niveau à produire en mars 2013 une *« contribution au débat national sur un nouvel acte de décentralisation »*.

En l'occurrence, nous sommes un territoire où les petites et les moyennes villes forment un maillage précieux, source d'équilibre entre les différents bassins de vie. Et si le processus de métropolisation est appréhendé comme globalement positif grâce aux potentialités qu'il offre dans un contexte de concurrence géographique, c'est justement parce qu'il est maîtrisé.

C'est pourquoi ce projet est spécifiquement breton. Certes, la véritable révolution territoriale prônée par Manuel Valls est salutaire et l'on peut en effet envisager que la mise en œuvre de l'Assemblée de Bretagne serve de laboratoire pour sa concrétisation. Mais la récente expérience découlant de la discussion du texte relatif *« à la modernisation de l'action publique territoriale et d'affirmation des métropoles »*, déposé par le Gouvernement de Jean-Marc Ayrault au Sénat le 10 avril 2013 et définitivement adopté par l'Assemblée le 19 décembre dernier, incite à la prudence. Le poids des conservatismes au sein des deux chambres est réel. Leur capacité à neutraliser les – rares – audaces ministérielles n'est plus à démontrer. Les exemples de pressions qu'elles s'entendent à exercer en faveur du statu quo (en particulier au Sénat) abondent et expliquent pour l'essentiel la perpétuation d'une organisation fondée sur une extraordinaire fragmentation institutionnelle, source de complexité, de superposition, d'opacité et de coûts de coordination élevés[15]. C'est pourquoi il serait préjudiciable de lâcher la proie pour l'ombre.

La collectivité unique bretonne est adaptée aux spécificités géographiques, historiques, socio-économiques, culturelles de notre territoire. Pourquoi attendre encore ? Qui peut garantir qu'elle trouvera sa place dans une discussion portant sur l'ensemble des régions françaises ? Ne peut-on pas au contraire soutenir l'idée que la réforme à venir des collectivités, dans sa radicalité même, parfaitement souhaitable, ne portera ses fruits que si, s'affranchissant des vieux schémas colbertistes qui

15. Patrick Le Lidec, *« La réforme des institutions locales »*, in *Politiques Publiques* 1, Borraz Olivier, Guiraudon Virginie (Dir.), Presses de Science Po, 2008, p. 263.

s'efforcent de perpétuer le mythe du jardin à la française, elle se résout enfin à promouvoir une organisation territoriale à la carte ? Et dans le cas d'espèce, si le modèle de la collectivité unique est parfaitement adapté à une région comme la Bretagne où le sentiment d'appartenance est fort, il l'est beaucoup moins à d'autres où il est faible, voire inexistant.

Défions-nous en conséquence des solutions toutes faites qui seraient nourries de la culture bonapartiste toujours si prégnante dans notre pays. Assumons résolument la complexité des territoires plutôt que d'en nier l'existence par commodité intellectuelle ou au nom d'une idéologie. Osons en finir avec l'organisation prétendument homogène de la France que les nombreux leviers institutionnels dévolus ces dernières années aux collectivités ultramarines ont, de toute manière, d'ores et déjà singulièrement altérée. En 1957, à l'occasion de son départ du ministère de l'Outre-mer, Gaston Defferre lança à l'un de ses collaborateurs : *« Nous avons décolonisé l'outre-mer. Nous devons maintenant décoloniser la métropole. »*[16] Décoloniser la métropole… Ce n'est effectivement qu'à ce prix que la nouvelle organisation territoriale voulue par le Premier ministre peut espérer remplir les objectifs qui lui sont fixés.

« Pas sans la Loire-Atlantique ! »

Ces considérations amènent bien évidemment à s'interroger sur le périmètre de la future collectivité unique. Depuis que le débat a été lancé sur ce projet, celui-ci est étroitement, voire consubstantiellement lié, dans l'esprit de beaucoup, à la question de la *« réunification »*. Cette association est pleinement justifiée. La Bretagne sera plus forte non seulement grâce à une assemblée régionale dotée des moyens de ses grandes ambitions, en mesure d'influencer encore plus efficacement le niveau national, européen voire international, mais aussi par le biais d'un territoire restauré dans son intégrité.

16. Cité par Jean-Luc Boeuf, Yves Léonard, « 1982 : la gauche décentralise », *L'Histoire*, n°326, 1 décembre 2007.

Celui de la Loire-Atlantique est, indubitablement, breton. Il l'est depuis, excusez du peu, septembre 851. C'est à cette date en effet que le roi franc Charles le Chauve, petit-fils de Charlemagne, reconnut par le traité d'Angers, après sa défaite de Jengland, la tutelle de la Bretagne sur les pays rennais, nantais et de Retz. Quelques générations plus tard, Alain Barbe Torte, après avoir libéré la péninsule des invasions normandes (939), choisit Nantes pour y prendre le titre de duc et y fixer sa maison. Certes, la légitimité historique ne peut tout justifier. Mais il ne me semble tout de même pas complètement négligeable que, plus d'un millénaire durant, l'identité bretonne des habitants de ce territoire, en dépit des vicissitudes de l'histoire, n'ait souffert aucune contestation. L'on ne peut en outre se satisfaire des conditions dans lesquelles fut organisée par le régime de Vichy la partition de la Bretagne en juin 1941. L'on ne peut pas plus accepter l'impassibilité officielle par laquelle, depuis les années 1980, les autorités répondent à la demande de réunification, massivement soutenue – ainsi que l'attestent les sondages – par la population de la Loire-Atlantique comme de la région administrative. Nombreuses et convergentes sont en effet les enquêtes d'opinion qui soulignent avec constance l'ampleur de cette adhésion. Le dernier baromètre réalisé par l'institut LH2 pour le compte de la presse régionale et de France Bleu (avril 2014) révèle ainsi que 57 % des habitants de la Bretagne administrative et 63 % des habitants de la Loire-Atlantique se déclarent favorables à la réunification.

Cette aspiration se retrouve aussi sur les bancs de l'Assemblée nationale. Indépendamment de nos appartenances politiques respectives, l'unanimité se dégage en certaines circonstances parmi les députés bretons et c'est souvent le cas lorsqu'il s'agit de favoriser le processus de réunification. Ainsi, le 11 décembre 2013, à l'occasion de la discussion du projet de loi relatif aux métropoles, avons-nous voté comme un seul homme (ou une seule femme…) un amendement en ce sens. Hélas, invariablement, les gouvernements successifs s'y opposèrent, même lorsque les ministres qui s'exprimaient étaient des élus bretons...

On peut encore se reporter aux analyses du professeur Jean Ollivro, qui démontre avec beaucoup de force les avantages que représenterait pour la Bretagne, sur le plan économique, sa réunification[17].

Pour autant, à ce jour, aucune démarche n'a abouti, en dépit de la multiplicité des vœux adoptés par différentes collectivités (conseil régional, conseils généraux, municipalités [532 des 1 491 communes bretonnes]), patiemment collectés par l'association *« Bretagne Réunie »* ou des nombreuses manifestations organisées (comme celle du 19 avril 2014 à Nantes).

Cette capacité de blocage révèle combien une telle perspective se heurte à d'évidentes résistances dont il ne faudrait surtout pas sous-estimer l'opiniâtreté. Certes, le contexte politique a bel et bien évolué ces derniers temps dans un sens qui, objectivement, apparaît conforme à la prise en considération de cette revendication. Pour la première fois depuis 2007, le Premier ministre n'est pas originaire des Pays de la Loire. Et l'intention du Gouvernement de procéder d'ici 2017 à un vaste redécoupage des régions laisse tout à la fois espérer le meilleur (la Bretagne réunifiée) et redouter le pire (le funeste Grand Ouest).

L'opportunité est là. Il faut la saisir. Naturellement, je jouerai mon rôle dans ce combat. Dans ce domaine, la froideur des statistiques pèse bien moins que la psychologie, ce que la politique ne peut ignorer. Et qu'on ne m'oppose pas une arithmétique de technocrate, je suis convaincu de défendre une position avant tout sentimentale que j'ai d'autant moins de mal à assumer que je la sais étayée par la raison...

Mais quelle attitude conviendra-t-il d'adopter si, en dépit de nos efforts à venir, la Loire-Atlantique, pour telle ou telle mauvaise raison, reste finalement rattachée à un autre espace régional ? Formuler la question risque de me faire passer, aux

17. Ollivro Jean, *L'Unité bretonne*, Éditions Le Temps, avril 2014.

yeux d'un grand nombre de Bretons, pour une sorte d'hérétique tout juste bon pour le bûcher… Elle ne s'en pose pas moins et appelle une réponse.

Ma position est claire : il vaut mieux une Bretagne tronquée que plus de Bretagne du tout. Quoi qu'il arrive, l'organisation actuelle ne survivra pas. Si l'on s'en tient froidement à la logique arithmétique, la réduction de moitié du nombre de régions métropolitaines devrait conduire la nôtre à fusionner avec les Pays de la Loire. Ce scénario catastrophe n'est évitable que par l'engagement du processus aboutissant à la mise en place de la collectivité unique, avec ou sans la Loire-Atlantique. Tant mieux si c'est avec elle. Dans le cas contraire, il faudra bien s'adapter.

Attention donc à la tentation du tout ou rien. À y succomber, la Bretagne aurait beaucoup plus à perdre qu'à gagner. Ne ménageons en conséquence aucun effort pour que le rêve se concrétise mais, s'il venait à se dérober, sachons faire face. La Loire-Atlantique redeviendra bretonne. Si ce n'est pas demain, ce sera après-demain.

2 - Quelle organisation ?

Notre culture politique, encore en 2014, doit plus à Richelieu qu'à Montesquieu et à Colbert qu'à Tocqueville. Et si, en dépit d'une croyance largement partagée, le principe d'*« unité »* n'est plus expressément mentionné dans le texte de l'actuelle Constitution, contrairement à celui d'*« indivisibilité »*, pour autant notre République se veut toujours unitaire.

Affirmé à l'origine pour servir d'antidote au *« fédéralisme »* girondin, ce principe a, depuis toujours, revêtu une fonction essentiellement politique et idéologique[18]. Il s'agissait d'une arme au service d'une certaine conception de l'État, le plus souvent interprétée comme postulant un pouvoir normatif unique, une structure administrative homogène, l'uniformité du droit applicable sur l'ensemble du territoire national, l'intégrité et l'intangibilité de ce même territoire, voire l'unité sociale et sociologique de la Nation française...

On comprendra que je me sente plus proche de l'analyse défendue par Michel Rocard, pour qui *« l'unité [de la République] sera d'autant mieux assurée qu'elle s'exercera entre régions de plein exercice, fières de leur identité, attachées à leur pouvoir, capables d'assurer leur développement, garantissant la liberté des citoyens et de la société civile face à un État dont les attributions auraient cessé d'être tentaculaires »*[19].

Cependant, nulle part comme en France, dans aucun autre régime occidental, une telle concentration du pouvoir ne s'observe

18. Roux André, « La constitution de 1958 : l'unité », in *Le cinquantenaire de la Constitution de la Ve République*, Dalloz, 2008, pp. 147-160.

19. Rocard Michel, « La région, une idée neuve pour la gauche », *Pouvoirs*, 19, 1981, p.134.

au seul profit de la capitale et de la haute administration. Pour l'essentiel, plus de trente ans après les lois de décentralisation, Paris continue à gouverner le pays. Plus deux siècles après l'avènement de la République, la révolution régionale reste à faire.

C'est dire la difficulté d'imaginer des structures qui puissent s'ériger en réels contrepoids naturels au pouvoir central. Notre culture politique demeure encore largement centralisatrice. L'émiettement local est le meilleur allié de la concentration francilienne du pouvoir.

Pourtant des esquisses existent, des projets furent ébauchés, des expérimentations furent engagées. Ils inspirent largement les suggestions d'organisation qui vont être maintenant développées.

Naissance d'une nouvelle collectivité

L'Assemblée de Bretagne ne résultera pas de l'absorption par l'actuel conseil régional des conseils généraux existants. Il s'agit d'une nouvelle collectivité qui verra le jour par la fusion des différents conseils. Elle exercera les compétences aujourd'hui dévolues à chacun d'entre eux, complétées, le cas échéant, par celles que pourraient lui octroyer les futures lois générales de décentralisation et d'éventuels transferts liés à la reconnaissance d'un droit à la différenciation qui transparaissait déjà dans les propos rennais de Jean-Marc Ayrault évoqués plus haut.

De même, elle se verra dotée du pouvoir réglementaire d'adaptation que le chef de l'État, le 14 janvier 2014, s'est engagé à confier aux régions[20]. Cette faculté lui permettra d'adapter l'action publique aux singularités de la Bretagne. Au nom du principe de subsidiarité dont découle l'impératif de mise en œuvre des politiques à l'échelle territoriale la plus pertinente,

20. D'ores et déjà, le quatrième alinéa de l'article 72 de la Constitution permet à la loi organique, depuis la révision constitutionnelle du 28 mars 2003, de fixer les conditions dans lesquelles les lois et règlements peuvent autoriser les collectivités territoriales ou leurs groupements à *« déroger, à titre expérimental et pour un objet et une durée limités, aux dispositions législatives ou réglementaires qui régissent l'exercice de leurs compétences »*.

elle pourra confier l'exercice de certaines de ses compétences, notamment dans le domaine social, aux communes ou aux établissements publics de coopération intercommunale.

Il ne s'agit en effet pas de reproduire au sein de l'espace régional la concentration dénoncée au plan national. En matière d'inflation bureaucratique, la France fait preuve d'un dynamisme inégalé. Raison de plus pour inventer, en Bretagne, une articulation souple qui permette d'adapter les services publics à la réalité des territoires et de leurs besoins. Alors que l'État se comporte plus comme un contrôleur, parfois très zélé, que comme un accompagnateur de projets locaux, le but de la collectivité unique sera de libérer les énergies créatrices et d'assurer les cohésions sociales.

La Bretagne a déjà pris de l'avance dans ce domaine en instaurant, dès 2004, une instance appelée B16. Elle regroupe le conseil régional, les conseils généraux et les principales structures intercommunales. Au fil des années, elle est devenue un lieu de coproduction des orientations stratégiques concernant l'avenir de notre région. Il en a résulté une mobilisation performante de l'ensemble de ces collectivités territoriales sur les grands enjeux d'aménagement du territoire et de développement économique, comme Bretagne à Grande Vitesse, Bretagne Très Haut Débit et le Pacte Électrique Breton, pour ne citer que ces trois projets d'envergure.

Le *« B16 »* démontre qu'il est possible de rassembler, de manière régulière, l'ensemble des responsables de politiques publiques du territoire afin de favoriser la concertation, permettant la mise en place de solutions pragmatiques en réponse à des difficultés locales. Ainsi, demain, l'Assemblée de Bretagne pourra parfaitement contractualiser ici avec une métropole, là avec une communauté d'agglomération ou encore un *« pays »*.

Organiser l'équilibre des pouvoirs

Au plan institutionnel, une organisation existe qui a démontré son efficacité en dépit du caractère hybride de ses fondements juridiques. Elle trouve principalement sa source dans la loi du 13 mai 1991 portant statut de la collectivité territoriale de Corse. Ce texte a doté l'île d'une organisation institutionnelle qui reste inédite à ce jour, reposant sur un conseil exécutif collégial composé d'un président et de six membres, d'une Assemblée de Corse devant laquelle il est responsable et d'un conseil économique, social et culturel de Corse – unique structure de ce genre, en France métropolitaine, à se voir reconnaître une vocation culturelle.

De la même manière, la collectivité unique bretonne, demain, sera administrée par une assemblée délibérante, appelée Assemblée de Bretagne, qui élira un conseil exécutif responsable devant elle[21]. Cette féconde distinction opérée entre pouvoir délibératif et pouvoir exécutif créera les conditions d'un nouveau pacte de gouvernance. Elle garantira un équilibre entre les deux instances, propice tant à un approfondissement de la démocratie territoriale qu'à l'exercice d'une action publique rationalisée dans ses méthodes et confortée dans ses ambitions.

Le pouvoir délibératif relèvera donc de l'Assemblée de Bretagne, où siégeront l'ensemble des conseillers de Bretagne élus au suffrage universel. Elle constituera par excellence l'instance de débat, notamment par le truchement de ses commissions spécialisées qui couvriront l'ensemble des domaines d'intervention de la collectivité. Dans un souci d'équilibre territorial, ses sessions pourraient se dérouler dans des métropoles différentes.

Il lui incombera de définir les politiques publiques relevant de son périmètre d'intervention, de délibérer sur l'ensemble des

21. Comme nous le verrons dans le dernier chapitre, c'est aussi l'organisation institutionnelle qui entrera en vigueur à la Martinique dès l'an prochain. La Guyane, en revanche, a opté pour un modèle plus classique, avec un organe délibérant et son président assisté d'une commission permanente.

propositions qui lui seront soumises par le conseil exécutif ainsi que de voter le budget et le compte administratif de la collectivité unique.

L'Assemblée de Bretagne élira en son sein son président ainsi que ses vice-présidents. Elle procédera à la constitution des différentes instances de la gouvernance, dans le respect des équilibres territoriaux entre les élus issus des départements. Dans le même esprit, il conviendra de veiller à ce que le président de l'organe délibératif et le président de l'organe exécutif représentent l'un la Bretagne occidentale, l'autre la Bretagne orientale. Les vice-présidents de l'Assemblée auront pour mission de seconder le président dans l'organisation des travaux. Ils seront élus à la représentation proportionnelle.

Il incombera au président de l'Assemblée de présider les séances publiques, d'établir le calendrier, d'organiser les travaux des différentes instances relevant de l'organe délibératif et de soumettre au débat les projets de délibérations préparés par le conseil exécutif. Il se reposera pour l'accomplissement de ces différentes tâches sur les services administratifs, dirigés par un secrétaire général placé sous sa responsabilité.

Le pouvoir exécutif, quant à lui, sera exercé par un conseil exécutif, présidé par le président du conseil. Cette instance sera élue par l'Assemblée de Bretagne et conduira l'action de la collectivité dans l'ensemble de ses domaines d'intervention. Il lui reviendra de préparer et d'exécuter les délibérations – s'appuyant à cette fin sur ses services administratifs. Force de propositions, il lui sera également loisible de suggérer à l'Assemblée, par le biais de rapports, la stratégie et les actions à mettre en œuvre. Son siège pourra être établi dans une agglomération de Bretagne occidentale – la nature de ses activités n'interdisant pas nécessairement qu'il s'agisse d'une ville petite ou moyenne.

La stabilité et l'efficacité du conseil exécutif seront assurées par la mise en place d'un mécanisme de régulation qui, en cas de grave dysfonctionnement, octroiera en dernier recours à l'Assemblée élue au suffrage universel un pouvoir de dissolution de l'instance. Dans cette perspective, celle-ci pourra émaner d'une liste complète élue au scrutin majoritaire, ce qui garantira qu'elle exerce sa mission de manière solidaire, mais elle sera également susceptible de faire l'objet d'une motion de défiance.

Dans ce domaine, il ne s'agit pas de faire œuvre d'imagination mais simplement de s'inspirer du fonctionnement de l'Assemblée de Corse. Si le vote d'une motion de défiance contre le conseil exécutif est possible, il est conditionné au dépôt préalable d'une liste complète destinée à le remplacer, laquelle liste doit être adoptée à la majorité absolue pour que la substitution ait lieu.

Le conseil exécutif fonctionnera par ailleurs dans un cadre collégial, avec des vice-présidents délégués à des domaines d'intervention de la collectivité. Les conseillers qui y seront élus demeureront membres de l'Assemblée de Bretagne, conformément au projet alsacien[22].

Enfin, le Conseil culturel de Bretagne sera naturellement maintenu, tout comme le Conseil économique, social et environnemental régional qui continuera à formuler des avis sur toute question entrant dans le périmètre de compétences de la nouvelle collectivité.

Afin que la fusion de la région et des départements ne s'avère pas pénalisante sur le plan financier pour l'institution, celle-ci cumulera les impôts et dotations régionaux et les impôts et dotations départementaux. Elle votera à la fois les taux régionaux et les taux départementaux, mais pourra le cas échéant adopter, pour une durée limitée, des taux départementaux distincts, afin d'éviter toute variation excessive de ces derniers.

22. À la Martinique en revanche, lors de l'entrée en vigueur de la collectivité unique en 2015, la fonction de conseiller exécutif sera incompatible avec le mandat de membre de l'Assemblée.

Garantir la cohésion territoriale

La collectivité unique entend ensuite relever le défi de la proximité avec les Bretons. À cette fin, il pourra être institué un *« conseil de territoire »* dans chacun des 26 Pays de Bretagne[23]. Leur mission consistera à contribuer à la bonne exécution des politiques du conseil exécutif dont ils seront l'émanation et, le cas échéant, à en adapter la mise en œuvre dans le respect des objectifs et conditions fixées par l'instance délibérative. Ils seront dépourvus de la personnalité juridique.

Ces structures seront composées des conseillers de Bretagne de leur ressort géographique. Leurs présidents seront élus par l'Assemblée à l'occasion de la désignation du conseil exécutif.

Les conseils de territoire rempliront trois missions essentielles. D'abord, ils seront consultés pour avis sur les affaires relevant de leur périmètre géographique. Dans cette perspective, ils auront accès aux rapports de présentation et aux projets de délibération relatifs à leur territoire. Ensuite, dès lors qu'ils auront reçu délégation de l'Assemblée de Bretagne pour certaines affaires, ils pourront prendre les décisions les concernant dans le respect des règles de fonctionnement de la collectivité. Enfin, il leur sera loisible de se prononcer sur les conventions de partenariat relevant de leur périmètre (contrats de territoires avec les communes et les intercommunalités, contrats d'objectifs avec les partenaires locaux…), et ils seront en charge de leur suivi.

Enfin, si une coordination à l'échelle départementale s'avère opportune pour certains dossiers, des conférences départementales pourront être instaurées. Organes consultatifs relevant du conseil exécutif, il leur reviendra de veiller à la cohérence et à l'équilibre harmonieux des politiques déployées à l'échelle des conseils de territoire. Leur rôle consistera tout particulièrement à

23. Vingt-et-un dans la région administrative, cinq en Loire-Atlantique (Pays de Châteaubriant, Pays d'Ancenis, Pays de Retz Atlantique, Pays de Machecoul et Logne, Pays du Vignoble nantais). À noter que deux territoires de ce dernier département ne disposent pas d'une telle structure : Nantes et Saint-Nazaire.

s'assurer du respect du principe d'équité dans la mise en œuvre des moyens affectés dans les 26 Pays. Elles formuleront également un avis sur le budget de la collectivité, notamment pour ce qui touche à la répartition des crédits affectés aux politiques territorialisées. Chacune de ces conférences départementales sera présidée par un vice-président du conseil exécutif.

Par l'entremise de cette organisation institutionnelle, le conseiller de Bretagne participera à la fois à la définition des politiques publiques de la collectivité pour l'ensemble de ses compétences et aux décisions opérationnelles pour leur application dans les territoires. Sera ainsi garantie la prise en compte tant de l'intérêt régional que de l'identité spécifique de chaque Pays.

Favoriser le pluralisme politique et une représentation équitable des territoires

L'élection des membres de l'Assemblée de Bretagne, enfin, devra reposer sur un juste équilibre entre la représentation des territoires, notamment des espaces ruraux, et la représentation politique régionale. Les modes de scrutin peuvent être un facteur diabolique de complexification de la vie publique locale. Ainsi, actuellement, les conseils régionaux sont élus à la représentation proportionnelle, les conseils généraux au scrutin majoritaire… et les conseils municipaux au scrutin mixte.

Dans un souci de clarification des enjeux, de simplification des choix et de promotion d'une conscience politique locale, les conseillers de Bretagne pourront être élus dans le cadre d'un scrutin mixte, combinant modes de scrutin régional et départemental. Ses mérites sont connus. Il conjugue les avantages respectifs des scrutins proportionnel et majoritaire en permettant tout à la fois la représentation des différentes sensibilités politiques et la constitution de majorités stables. En sus, le scrutin proportionnel corrige la brutalité du scrutin majoritaire qui, lui, donne aux élus un réel ancrage local et une grande visibilité.

La moitié des conseillers de Bretagne sera élue dans le cadre des circonscriptions législatives, au scrutin binominal majoritaire paritaire, l'autre moitié à la représentation proportionnelle (listes évidemment composées alternativement d'un candidat de chaque sexe), avec cinq sections départementales.

La Bretagne abritant, avec la Loire-Atlantique, 47 circonscriptions législatives, l'Assemblée comptera dès lors 94 élus au scrutin majoritaire et 94 sur des listes à la proportionnelle, soit un total de 188 conseillers. Aujourd'hui, ce territoire est représenté par un total de 378 élus régionaux et départementaux. Il s'agira donc d'en réduire le nombre de moitié.

À titre de comparaison, le projet alsacien n'envisageait une diminution que de l'ordre de 10 à 20 %. À la Martinique, le nombre cumulé de conseillers régionaux et généraux passera l'an prochain, lors de la création de la collectivité unique, de 86 à 51, soit une baisse sensible de 40,7 %. En Guyane, en revanche, il va augmenter (de 50 à 57), mais afin de tenir compte, d'une part, de la sous-représentation actuelle des minorités et, d'autre part, de l'évolution démographique qui prévoit un doublement de la population à l'horizon 2020.

Le projet pour la Bretagne ici développé se révèle donc sur ce point volontiers maximaliste. Il s'agit d'un choix assumé. Un hémicycle à l'effectif pléthorique s'avérerait proprement ingérable. A contrario une approche trop malthusienne ne permettrait pas une représentation satisfaisante des territoires et serait de toute manière difficilement justifiable sur le plan des principes. Une Assemblée comptant un peu moins de 200 élus paraît donc constituer un bon compromis entre l'impératif de l'efficacité de l'action publique et l'exigence de la démocratie de proximité. À titre d'exemple, le conseil régional d'Île-de-France fonctionne aujourd'hui à la satisfaction du plus grand nombre avec un effectif très significatif de 208 représentants, qui n'entraîne nulle paralysie des politiques de la collectivité.

Au demeurant, cette question ne concerne pas seulement les collectivités locales. Par cohérence, demain l'Assemblée nationale et le Sénat ne sauraient se tenir à l'écart d'une telle réflexion.

Sous la IIIème République, le nombre des députés est progressivement passé de 534 à 618. Il a varié entre 619 et 596 sous la IVème République. Sous la Vème, il a souvent évolué mais presque toujours dans le même sens, celui de l'augmentation. Seule exception : la 2e législature en 1962 où l'hémicycle avait perdu presque 100 députés, notamment ceux de l'Algérie nouvellement indépendante.

Longtemps, on a ainsi considéré qu'un nombre élevé de parlementaires était un gage de démocratie. Si bien qu'aujourd'hui, si la France n'est pas le pays qui compte le plus de députés par habitant, elle se situe cependant parmi les plus richement dotés avec 577 députés, 348 sénateurs et 74 députés européens (999 parlementaires au total), pour 65,35 millions d'habitants. Il est temps de ne plus considérer ce constat comme une vérité intangible, et si le législateur décidait de revenir au nombre de députés d'avant la dernière augmentation décidée en 1985, à savoir 487, soit une diminution de 90 sièges, son efficacité globale n'en serait pas altérée.

3 - Comment y parvenir ?

La mutation espérée devra s'opérer dans un environnement où le poids des lobbies et des droits acquis est grand. En raison de son histoire, notre pays présente une inertie particulièrement forte au changement. La pédagogie devra donc prévaloir sur l'autorité. Les slogans peuvent réchauffer les cœurs mais ils ne suffiront pas. Il faudra comme souvent en revenir à Jean Giraudoux, lui qui faisait dire à Hector dans *La guerre de Troie n'aura pas lieu* que « le droit est la plus puissante des écoles de l'imagination ».

L'adversaire est identifié et son nom de code connu : L. 4124-1. C'est un article né de la loi du 16 décembre 2010 et niché dans les méandres du code général des collectivités territoriales (CGCT). C'est lui qui expose les modalités de fusion d'une région et des départements qui la composent. Il lui revient donc d'indiquer la voie à suivre pour que l'Assemblée de Bretagne voie le jour. En voici la teneur :

« I. – Une région et les départements qui la composent peuvent, par délibérations concordantes de leurs assemblées délibérantes, demander à fusionner en une unique collectivité territoriale exerçant leurs compétences respectives. La demande de modification est inscrite à l'ordre du jour du conseil général, par dérogation aux articles L. 3121-9 et L. 3121-10, et du conseil régional, par dérogation aux articles L. 4132-8 et L. 4132-9, à l'initiative d'au moins 10 % de leurs membres.

Lorsque le territoire concerné comprend des zones de montagne délimitées conformément à l'article 3 de la loi n° 85-30 du 9 janvier 1985 précitée, les comités de massif concernés sont consultés sur le projet de fusion. Leur avis est réputé favorable s'ils ne se sont pas prononcés à l'expiration d'un délai de quatre mois suivant la notification, par le représentant de l'État dans la région, des délibérations du conseil régional et des conseils généraux intéressés.

II. – Le Gouvernement ne peut donner suite à la demande que si ce projet de fusion recueille, dans chacun des départements concernés, l'accord de la majorité absolue des suffrages exprimés, correspondant à un nombre de voix au moins égal au quart des électeurs inscrits.

Cette consultation des électeurs est organisée selon les modalités définies à l'article LO 1112-3, au second alinéa de l'article LO 1112-4, aux articles LO 1112-5 et LO 1112-6, au second alinéa de l'article LO 1112-7 et aux articles LO 1112-8 à LO 1112-14. Un arrêté du ministre chargé des collectivités territoriales fixe la date du scrutin, qui ne peut intervenir moins de deux mois après la transmission de la dernière délibération prévue au I du présent article.

III. – La fusion de la région et des départements qui la composent en une unique collectivité territoriale est décidée par la loi, qui détermine son organisation et les conditions de son administration. »

La patente aridité de cet article ne saurait masquer l'essentiel : la procédure est non seulement complexe mais surtout, en l'état, parfaitement inopérante.

Une procédure en faux-semblant

Le processus se déroule en trois étapes. En premier lieu, l'accord unanime des assemblées concernées par la procédure de fusion est absolument indispensable. C'est ainsi qu'en Alsace, la résolution sur la création de la collectivité territoriale unique fut initialement approuvée par le conseil régional et les deux assemblées départementales symboliquement réunies en congrès le 24 novembre 2012. Le 25 janvier 2013, les conseillers généraux de chaque département et les conseillers régionaux votèrent de nouveau, séparément, lors de séances plénières, la résolution afin de lui donner une réelle valeur juridique.

L'aboutissement de cette première étape est donc envisageable. Par essence, il se révèle pourtant problématique. Il est rare en effet qu'une collectivité soit naturellement portée à solliciter sa suppression. Autant demander à une dinde de se prononcer sur le repas du réveillon…

La tenue du référendum constitue la seconde étape. Sur le principe, il n'y a rien à y redire. Historiquement, le développement de la démocratie locale est consubstantiellement lié à la participation directe et active des citoyens à la prise de décision. Encore faut-il que les modalités d'organisation de la consultation puissent garantir la crédibilité du résultat obtenu. C'est ce qui a conduit le législateur à prévoir un seuil de participation, conformément aux recommandations du Conseil de l'Europe. Ce dernier souligne en effet l'importance de fixer un pourcentage minimum de suffrages exprimés pour assurer la fiabilité de ces référendums[24]. Pour autant, on peut considérer qu'en l'espèce, les conditions de validation apparaissent exagérément restrictives, puisqu'il est impératif de recueillir l'assentiment d'une majorité d'électeurs dans chacun des départements concernés.

24. Conseil de l'Europe, *« Référendums : vers de bonnes pratiques en Europe »*, recommandation 1704, 29 avril 2005.

En Alsace, le *« oui »* s'est imposé le 7 avril 2013 à l'échelle régionale avec 57 % des suffrages exprimés. La victoire du *« non »* dans le Haut-Rhin (55,7 %) a cependant suffi à interrompre le processus. Or il peut sembler paradoxal, pour un projet d'intérêt régional, d'octroyer un droit de veto à la population de l'un des départements appelés à se prononcer. En substance, l'intérêt du tout devrait prévaloir sur les frilosités de la partie. La reconnaissance, en l'état, d'une forme de minorité territoriale de blocage ne peut qu'enrayer la montée en puissance de ce dispositif de fusion des collectivités. Elle est pour une part responsable de l'échec de la consultation alsacienne…

Un autre obstacle tient à la nécessité pour le « oui » de recueillir dans chaque département concerné, outre l'assentiment de la majorité absolue des suffrages exprimés, un nombre de voix au moins égal à 25 % des électeurs inscrits. Cette condition n'a pas été remplie dans le Bas-Rhin, et ce en dépit d'un soutien massif au projet (67,5 %). Seuls 23 % des inscrits s'y sont en effet prononcés en faveur de celui-ci. La restriction ainsi posée par l'article L. 4124-1 semble d'autant plus incompréhensible qu'elle n'a pas d'équivalent dans les référendums nationaux. On n'en trouve nulle trace non plus dans la loi du 10 juin 2003 qui organisait une consultation sur la modification de l'architecture institutionnelle de la Corse.

Le constat s'impose dès lors sans équivoque possible : cette procédure empile les contraintes au point de rendre très hypothétique l'aboutissement de tout processus de fusion.

Réécrire le L. 4124-1

La première des deux options, pour permettre la mise en place de l'Assemblée de Bretagne, pourrait donc consister à modifier, à l'occasion de l'examen du nouveau projet de loi *« clarifiant l'organisation territoriale de la République »,* les modalités de cet article afin de le rendre réellement opérationnel.

En vérité, le débat a déjà eu lieu l'an dernier lors de la discussion du projet de loi sur les métropoles. Il fut alors envisagé de supprimer purement et simplement la condition de référendum pour les fusions de collectivités. Au final, la proposition fut rejetée.

Le nouveau contexte politique généré par l'annonce de Manuel Valls de la suppression des conseils départementaux devrait être de nature à constituer un puissant levier en faveur de la réécriture de cette disposition législative. Cependant il n'est pas certain que le seul renoncement au référendum constitue une réponse adaptée. D'abord parce qu'il pourrait donner l'impression que le législateur, insatisfait du résultat de la consultation alsacienne, cherche à s'affranchir de la volonté du peuple en le réduisant au silence. Ensuite parce que, à tout prendre, le principal obstacle aujourd'hui à la fusion des collectivités est sans doute moins l'électeur que l'élu local. En l'occurrence, le Parlement pourrait bien supprimer l'obligation de consultation populaire, les conditions ne seraient pas plus favorables en Bretagne pour l'émergence d'une collectivité territoriale unique…

Il serait sans nul doute bien plus pertinent de réécrire l'article L. 4124-1 de manière à ce que la création d'une telle collectivité soit subordonnée soit à un avis favorable de la majorité des membres du conseil régional et des conseils généraux intéressés, soit à une demande formulée par l'un ou l'autre niveau de collectivités (région ou département) et qui serait ensuite soumise à une consultation à l'échelle régionale. C'est l'une des préconisations qui figuraient en 2008 dans le rapport parlementaire sur le big-bang territorial[25].

De deux choses l'une. Soit l'on n'entend pas réellement favoriser les fusions régions-départements, et dans ce cas autant renoncer franchement à cet article L. 4124-1 qui, en l'état de sa rédaction, détaille une procédure qui n'a pas la moindre chance

25. Quentin Didier, Urvoas Jean-Jacques, *Pour un big-bang territorial*, op. cit., pp. 99-102.

d'aboutir. Soit on le veut bien, et dans ce cas la formulation préconisée permettra de sortir de l'impasse où nous nous trouvons. Certes, l'option visant à s'appuyer sur une délibération concordante des collectivités peut légitimement sembler illusoire. La seconde, en revanche, s'avère beaucoup plus prometteuse pour peu que le conseil régional, à qui il reviendrait bien entendu de prendre l'initiative, accepte de jouer le jeu.

S'il ne faut évidemment pas sous-estimer la traditionnelle frilosité de l'électorat sur les questions d'ordre institutionnel, il n'en demeure pas moins que plusieurs consultations populaires organisées ces dernières années en vue d'ériger une collectivité unique ont constitué de véritables succès : à Mayotte le 29 mars 2009 (95,2 % de *« oui »*), en Guyane et à la Martinique le 24 janvier 2010 (57,48 et 68,3 % de *« oui »*). Certes, à ce jour, les résultats enregistrés pour ce type de scrutins en métropole se révèlent beaucoup moins probants. Mais l'échec des référendums corse (6 juillet 2003) et alsacien (7 avril 2013) tient à des raisons spécifiquement locales sur lesquelles on reviendra dans le dernier chapitre. En tout état de cause, aucun des facteurs qui ont conduit au rejet de ces projets par la population ne semble de nature à peser de manière décisive sur le résultat du scrutin qui, le cas échéant, pourrait être organisé en Bretagne.

Les modalités de la consultation gagneraient ensuite à être assouplies. Il conviendrait d'abord de supprimer l'obligation de majorité dans chacun des départements concernés pour ne plus prendre en considération que la collectivité régionale dans son ensemble, ensuite d'abaisser, voire idéalement de renoncer à tout seuil de votes favorables pour la validation du scrutin. Dans une telle perspective, l'alinéa 3 de l'article L. 4124-1 serait ainsi idéalement formulé comme suit : *« Le Gouvernement ne peut donner suite à la demande que si ce projet de fusion recueille l'accord de la majorité absolue des suffrages exprimés. »*

Il faut encore désamorcer une critique déjà évoquée. Conditionner la création de l'Assemblée de Bretagne à un référendum constituerait une ruse car l'expérience démontre que les collectivités locales n'organisent ce genre de consultation que pour faire échouer des projets.

Il faut avoir une bien piètre opinion des citoyens pour avancer ce genre d'arguments. On peut parfaitement critiquer le principe référendaire, notamment quand on est un partisan de la démocratie représentative. Mais justement, ceux qui avancent aujourd'hui cette critique sont généralement les plus ardents zélotes de la démocratie directe… À l'inverse, pourquoi ne pas considérer que le référendum conforte le respect porté aux élus par l'évidente clarification des choix politiques qu'il impose[26] ? Puisque les propositions sur lesquelles le suffrage universel doit se prononcer sont élaborées par les élus, en cas de réponse positive, ils seront les bénéficiaires du mouvement de confiance et de responsabilité qui va se dégager. Nul besoin d'insister sur la force d'un vote des habitants d'une collectivité et sur sa portée. Plus qu'une manœuvre, cette voie référendaire est tout à la fois une manifestation du respect de la décision des élus et celle du rôle des citoyens.

La question de la Loire-Atlantique

Dans sa nouvelle formulation (délibérations concordantes des collectivités concernées ou consultation populaire, assouplissement des conditions de validation du scrutin), l'article L. 4124-1 offrirait toutes les garanties pour que l'Assemblée de Bretagne voie effectivement le jour. Avec, cependant, une réserve de taille. Cette procédure ne concernant que les départements d'une même région, la Loire-Atlantique s'en trouverait de facto exclue.

Pour remédier à cette difficulté, il n'y aurait alors d'autre choix que d'ouvrir un deuxième chantier législatif, afin de permettre la

26. Belloubet-Frier Nicole, « Les référendums municipaux », *Pouvoirs*, 77, 1996, p. 179.

réunification. Car en l'état du droit, les chances de la Bretagne de récupérer la Loire-Atlantique sont quasi-nulles. Certes, la loi du 16 décembre 2010 a bien introduit dans le code général des collectivités territoriales un article L. 4122-1-1 qui vise à modifier les limites régionales par l'inclusion d'un département dans une région qui lui est limitrophe. Cependant, comme pour l'article L. 4124-1, les conditions de mise en œuvre de la procédure se révèlent à ce point contraignantes que son aboutissement ne saurait être réellement envisageable : *« Un département et deux régions contiguës peuvent demander, par délibérations concordantes de leurs assemblées délibérantes, une modification des limites régionales visant à inclure le département dans le territoire d'une région qui lui est limitrophe. Le Gouvernement ne peut donner suite à la demande qui si ce projet de modification des limites régionales recueille, dans le département et dans chacune des deux régions concernées, l'accord de la majorité absolue des suffrages exprimées, correspondant à un nombre de voix au moins égal au quart des électeurs inscrits. »*

La réunification de la Bretagne serait donc conditionnée tant à l'accord du conseil régional des Pays de la Loire qu'à celui de l'ensemble de sa population, consultée par référendum. Autant dire qu'à moins d'être animé par un optimisme à toute épreuve, l'on peut raisonnablement douter que le mécanisme en question permette un jour à la Loire-Atlantique de regagner le giron breton ! Conscient de cette situation de blocage, Paul Molac, député du Morbihan, a déposé le 10 avril 2014 une proposition de loi *« visant à assouplir la procédure de modification des limites régionales en vue d'inclure un département dans une région qui lui est limitrophe »*. En substance, la réécriture qu'il suggère s'avère très ingénieuse.

D'abord, le conseil régional d'appartenance du département concerné ne serait plus consulté que pour avis, perdant ainsi tout pouvoir de blocage. Ensuite, seuls les électeurs du département concerné ainsi que ceux de la région d'accueil seraient appelés à se prononcer par référendum. Enfin, il serait supprimé toute condition de quorum pour la validation de cette consultation populaire.

Certes, le rattachement à la Bretagne de son cinquième département s'en trouverait ainsi considérablement facilité. Toutefois, l'ensemble des obstacles juridiques et politiques ne seraient pas pour autant levés. Qui ainsi peut certifier qu'il existe aujourd'hui au sein du conseil général de Loire-Atlantique une majorité susceptible d'approuver une telle évolution institutionnelle ? Sur le plan méthodologique, d'autre part, il n'est pas sans risque d'ouvrir plusieurs fronts à la fois, acceptant de manière implicite la dissociation d'enjeux qui, à nos yeux, sont pourtant consubstantiellement liés. On l'a vu, la procédure autorisant la mise en œuvre de l'Assemblée de Bretagne n'est pas la même que celle qui permettrait la réunification. Dans le cadre de la discussion parlementaire à venir sur le nouveau projet de loi de décentralisation, nous pourrions dès lors fort bien parvenir à nos fins sur l'un de ces deux chantiers et échouer sur l'autre. C'est un scénario qu'il convient d'éviter. Dans cette optique, nous devons veiller à ce que la question de l'évolution institutionnelle et celle du redécoupage régional soient traitées dans un « paquet » commun indissociable.

Vers une procédure spécifique à la Bretagne

La seconde option, qui a clairement ma préférence, consisterait donc à insérer dans la loi de décentralisation un titre spécifique à la Bretagne.

Son objectif serait double. Il s'agirait d'abord d'appeler les électeurs de la région (administrative) à une consultation sur la modification de l'organisation institutionnelle de la Bretagne, par l'instauration d'une collectivité unique dont les modalités seraient présentées en annexe de la loi. Le scrutin, qui ne serait soumis à aucune condition de quorum, pourrait se dérouler en même temps que l'élection régionale ou départementale, quelle que soit la date de ces scrutins. Dans le cas où une majorité absolue des suffrages exprimés en venait à se dégager en faveur du *« oui »*, les collectivités de Bretagne recevraient mandat pour préparer cette évolution institutionnelle qui, en tout état de cause, devrait devenir effective au plus tard en mars 2017.

En second lieu, il incomberait au titre précité de la loi d'organiser une consultation des électeurs de Loire-Atlantique sur le rattachement de ce département à la Bretagne. Le scrutin se déroulerait le même jour et dans les mêmes conditions que celui relatif à la collectivité unique. Le succès du *« oui »* à la majorité absolue des suffrages exprimés vaudrait approbation de celle-ci. Dans ce cas, les collectivités du département seraient bien entendu pleinement associées à la phase préparatoire à la mise en œuvre de l'Assemblée de Bretagne, dont la Loire-Atlantique deviendrait partie intégrante dès son entrée en vigueur avant mars 2017.

Ce modèle s'inspire de celui qui avait été envisagé pour la mise en place d'une collectivité unique en Corse. C'est en effet une loi qui, alors, avait appelé les électeurs aux urnes concernant la modification de l'organisation institutionnelle de l'île. Adoptée le 10 juin 2003, elle aboutit à la tenue d'un référendum moins d'un mois plus tard, le 6 juillet. Autant dire que l'affaire ne traîna pas en longueur, ce qui démontre en dernier ressort que la volonté politique, lorsqu'elle existe réellement, peut venir à bout des obstacles juridiques prétendument les plus insurmontables…

Encore un mot qui a son importance. Conformément à l'article 73, alinéa 7 de la Constitution, l'instauration d'une collectivité unique dans les départements et régions d'outre-mer implique la tenue préalable d'une consultation populaire afin de valider la démarche. Il n'existe aucune exigence de ce type pour l'hexagone. L'article 72-1 de la Constitution dispose en effet que *« lorsqu'il est envisagé de créer une collectivité territoriale dotée d'un statut particulier ou de modifier son organisation, il peut être décidé par la loi de consulter les électeurs inscrits dans les collectivités intéressées. La modification des limites des collectivités territoriales peut également donner lieu à la consultation des électeurs dans les conditions prévues par la loi. »* Autrement dit, pour ce qui touche tant à la création d'une Assemblée de Bretagne qu'à l'extension de son ressort à la Loire-Atlantique, l'outil référendaire relève de la faculté politique, non de la contrainte constitutionnelle.

Le recours à une procédure strictement parlementaire pourrait d'ailleurs être envisagé. Puisque le Gouvernement semble bien décidé à mener cette réforme au pas de charge, il pourrait être enclin à réserver un accueil bienveillant à une démarche telle que celle qui fut utilisée dans la loi n° 2014-58 du 27 janvier 2014 qui donna notamment naissance à la Métropole de Lyon. En effet, la dernière phrase de l'alinéa 1 de l'article 72 de la Constitution précise que *« toute autre collectivité territoriale est créée par la loi, le cas échéant en lieu et place d'une ou de plusieurs collectivités mentionnées au présent alinéa »*. La création de l'Assemblée de Bretagne peut parfaitement s'inscrire dans ce cadre. Certes la voie ainsi suggérée n'a pas la force, en termes de légitimité démocratique, de celle qui aurait impliqué l'onction du suffrage universel octroyée par référendum, mais du moins elle s'avère plus praticable et surtout plus rapide… Et puis elle permettrait, pour une fois, au Parlement de jouer pleinement son rôle dans ce domaine. Car, tout au long de la Vème République, en matière d'organisation des pouvoirs locaux, l'initiative a constamment appartenu à l'exécutif, celui-ci évitant parfois sciemment toute intervention législative en usant du levier réglementaire pour faire aboutir les projets[27].

Pour autant, quel que soit le chemin qui au final sera emprunté, il faudra trouver une majorité pour voter la réforme préconisée

27. Grémion Catherine, « Les décentralisateurs déstabilisés », *Pouvoirs*, 49, 1989, p. 81.

dans ce manifeste. La gauche devrait s'y rallier même si elle ne fut pas toujours régionaliste. La SFIO ne le fut jamais et bien avant de lancer la décentralisation, François Mitterrand avait longtemps craint que *« le découpage de la France en 21 régions [ne soit] dangereux pour l'unité de la nation et pour l'autonomie des collectivités locales »*[28]. À partir de 1973, c'est à l'initiative de deux députés socialistes bretons, Charles Josselin et Louis Le Pensec que la conversion s'opéra lentement pour se concrétiser finalement dans le programme *« La France au pluriel »* publié en 1981. On lit alors dans celui-ci que *« l'organisation des régions peut être différenciée pour prendre en compte les réalités et les solidarités profondes »*[29]. Depuis, d'ailleurs, les fédérations socialistes bretonnes, réunies dans une union régionale opportunément baptisée *« Bureau Régional d'Études et d'Informations Socialistes (BREIS) »*, veillent à publier lors de chaque congrès national une contribution spécifiquement dédiée aux enjeux de la décentralisation[30].

Reste à espérer que les parlementaires bretons de la droite et du centre sauront se montrer à la hauteur du défi qu'il nous appartient à tous, collectivement, de relever. Car le dépassement des traditionnels clivages politiques constitue une impérieuse nécessité si l'on veut réellement que ce projet aboutisse. Dans cette perspective, certains enseignements peuvent sans nul doute être tirés de la discussion, en janvier 2014, de la proposition de loi constitutionnelle visant à ratifier la Charte européenne des langues régionales ou minoritaires, dont, au nom du groupe socialiste, j'étais l'initiateur. Si à cette occasion bien des députés socialistes bretons participèrent au débat, la droite, elle, se montra plus discrète. Je retiens cependant que Thierry Benoit, député UDI d'Ille-et-Vilaine, adopta une attitude très constructive. Lui-même auteur d'une proposition de loi comparable, il s'opposa à la motion dite de *« rejet préalable »* déposée par l'UMP Henri Guaino ainsi qu'à celle de *« renvoi en commission »*

28. Mitterrand François, *Le Monde*, 11 mars 1969, cité par Sadran Pierre, *Pouvoirs*, « Les socialistes et la région », 19, 1981.

29. Parti Socialiste, *La France au pluriel*, Éd. Ententes, 1981.

30. Cf. par exemple *« Pour une république des territoires »* lors du Congrès de Toulouse des 26/28 octobre 2012.

défendue par l'UMP Marc Le Fur, puis annonça très tôt dans les débats non seulement son appui personnel à la démarche mais aussi que son groupe *« voterait avec enthousiasme »* en faveur du texte – lequel fut au final adopté à une écrasante majorité, 361 voix sur 510 suffrages exprimés (149 *« non »*[31])

Sachons donc renouer avec l'esprit du fameux CELIB de René Pleven, dont la principale originalité était en fait sa commission parlementaire[32], créée en novembre 1951 et que présidait le député socialiste du Trégor François Tanguy-Prigent. Ses réunions mensuelles donnaient l'occasion à la quarantaine de députés présents de faire abstraction de leur appartenance politique lorsque l'intérêt de la Bretagne était en jeu…

31. Outre 131 députés UMP, cinq députés PS votèrent contre, de même que les trois députés MDC, quatre députés GDR, les trois députés d'extrême droite et trois non-inscrits.

32. Nicolas Michel, *Histoire de la revendication bretonne*, Coop Breizh, 2007, p. 126.

4 - Pourquoi une Assemblée de Bretagne

Deux types d'arguments plaident en faveur de la mise en place d'une Assemblée de Bretagne. En l'espèce, rationalité technocratique et légitimité démocratique se conjuguent pour faire de la concrétisation de ce projet un objectif majeur pour notre région.

Économies, performance, lisibilité…

La logique financière est souvent principalement mise en avant pour justifier les fusions de collectivités. Pour autant, il faut se défier des simplifications outrancières. Le président du conseil régional d'Aquitaine, Alain Rousset, note ainsi que *« dans une fusion, il faut reprendre les dettes, harmoniser les systèmes d'aides et de rémunération par le haut. Reprendre les deux Charentes coûterait ainsi 10 millions d'euros à l'Aquitaine. Ce n'est pas anodin »*[33]. On pourrait aussi reprendre une étude du cabinet KPMG datant de 2008 qui estimait qu'une fusion des départements et régions ne produisait des gains financiers que *« peu significatifs »*. Mais cette dernière ayant été commandée par l'Assemblée des départements de France (ADF), il n'est pas anormal de la lire avec une certaine circonspection…

Ce que personne ne peut plus contester, c'est que les collectivités vont devoir adapter leurs dépenses à un contexte inédit de raréfaction des ressources. Il importe dès lors, plus que jamais, de concentrer les moyens sur les priorités, d'intensifier les cohérences entre les politiques conduites par la région et

33. « Réforme des territoires : le président de la région Aquitaine Alain Rousset est dubitatif », *Sud-Ouest*, 5 mai 2014.

les départements, de créer les conditions, dans la durée, d'une gestion optimalisée des deniers publics en s'appliquant à neutraliser les doublons et les surcoûts générés par le fonctionnement de six structures administratives distinctes.

Au demeurant, les dérives aujourd'hui observées ne concernent pas que les collectivités locales. Comme la Cour des Comptes a eu l'occasion de le souligner en juillet 2013, l'organisation de l'État est elle aussi d'une *« excessive complexité »*. Il ne sera pas aisé de la réformer. Un directeur d'administration centrale n'a, a priori, aucun intérêt à proposer une transformation en profondeur des politiques publiques dont il est responsable ni des organisations qui les sous-tendent. Son évolution de carrière en pâtirait certainement du fait des réactions inévitablement hostiles des tenants du statu quo. En fait, la très haute fonction publique a construit ce pays avec Colbert et Napoléon et, comme l'écrit Terra Nova, elle *« est, à sa place, en train de le détruire en ne conduisant pas les vraies réformes, pour conserver ses privilèges »*[34]. De fait, la Cour des Comptes[35] souligne combien l'État a mal accompagné le mouvement de décentralisation en laissant perdurer dans des domaines de compétences partagées des doublons qui entraînent une complexité de gestion et une dilution des responsabilités. Par exemple, pour ce qui concerne des politiques aussi majeures que celle de la ville, l'animation économique, l'emploi et la formation professionnelle, le nombre des services et opérateurs intervenant au nom du pouvoir central a augmenté alors même que le périmètre d'intervention des collectivités territoriales s'étendait !

Victime de son morcellement organique et de son quadrillage territorial inadapté, l'État a réagi avec lenteur et confusion, sans principe directeur. Or le jeu entre les collectivités et lui-même n'est pas à somme nulle comme entre deux antagonismes irréductibles. Les acteurs publics sont et demeurent interdépendants

34. Sauret Jacques, « L'action publique et sa modernisation, la réforme de l'Etat mère de toutes les réformes », Terra Nova, décembre 2013, p. 58.

35. Cour des Comptes, « L'organisation administrative de l'État dans les territoires », 11 juillet 2013.

même si leur autonomie réciproque s'est accrue. La simplification doit donc aussi concerner l'État, ce qui implique notamment de repenser ses missions – afin qu'il lui soit lisible de les remplir plus efficacement – et de mieux les articuler avec celles dévolues aux collectivités territoriales. L'assainissement des finances publiques est probablement aussi à ce prix, aucune illusion n'étant permise quant au fait que les contraintes budgétaires vont continuer à augmenter dans les années à venir.

La diminution drastique du montant de la dotation globale de fonctionnement (DGF) affectée par l'État aux collectivités territoriales ne manquera pas, ensuite, de peser très lourdement sur les marges de manœuvre opérationnelles de ces dernières, sachant par exemple qu'à l'heure actuelle 47 % des ressources des régions françaises sont issues de cette enveloppe. La réalisation des substantielles économies rendues dès lors absolument indispensables exige la réduction du nombre des structures administratives qui, pour le coup, s'impose moins comme une fatalité que comme un acte responsable en période de crise financière et de disette budgétaire.

D'après les estimations effectuées en Alsace avant la consultation populaire d'avril 2013, la fusion du conseil régional et des deux conseils généraux aurait permis d'économiser cent millions d'euros en cinq ans. Les synergies autorisées par la fusion des agences économiques, des agences touristiques, par la mutualisation du management supérieur des trois collectivités auraient notoirement contribué au même but. Il a été avancé qu'au final, les dépenses de fonctionnement résultant d'une fusion région-départements pourraient diminuer de 30 %. Les économies ainsi dégagées pourraient du même coup être affectées à l'augmentation des prestations sociales, à la mise en œuvre de nouvelles exonérations en vue d'objectifs économiques ou à l'instauration d'une politique plus audacieuse en matière d'attractivité du territoire.

L'Assemblée de Bretagne, dans ces conditions, serait parfaitement capable d'assurer une cohérence territoriale entre les espaces ruraux, les villes petites et moyennes, par le truchement de programmes d'action ambitieux en matière d'aménagement, de tourisme, de transports, d'éducation et d'emploi.

La mise en œuvre d'une collectivité unique contribuerait ensuite de manière très substantielle à la simplification et à l'accélération de la prise de décision publique. C'est une des caractéristiques nouvelles de la démocratie locale que de s'attacher à évaluer l'efficacité de ses politiques. Or il apparaît que l'une des principales conséquences dommageables de l'enchevêtrement des compétences est, aujourd'hui, son impact direct sur la compétitivité des entreprises. Les décideurs locaux n'ont en effet d'autre choix que de recourir à une importante expertise juridique et technique en vue de déterminer quels sont les échelons territoriaux compétents sur chaque projet. En substance, l'aboutissement des dossiers les plus élémentaires réclame des concertations de plus en plus lourdes et complexes, dont pâtissent tant les administrations elles-mêmes que les entrepreneurs, les responsables d'association que les simples citoyens. Comme le soulignait Jacques Attali dans son rapport pour la libération de la croissance française, *« les redondances et chevauchements de compétences entre les divers échelons territoriaux créent à la fois un éclatement de la responsabilité, la paralysie de la décision et la déroute de l'administré »*[36]. Le vœu de dégager des *« blocs de compétences clairs »*, sur lesquels était bâtie la réforme de Gaston Defferre, ne s'est pas réalisé. Plus aucun niveau de collectivité ne peut se targuer d'un monopole sur l'exercice d'une politique donnée.

Aussi, l'ensemble des responsables le répètent à l'envi depuis plusieurs années, il convient de remédier à l'enchevêtrement des compétences et à la généralisation des financements croisés, dont les conséquences sont si lourdes en termes de complexité et de coût. Le problème est que si le statu quo n'est défendu par

36. Attali Jacques, *Pour la libération de la croissance française*, La Documentation Française, 2008, p. 195.

personne, chacun, dans le même temps, veut voir ses intérêts préservés. Bref, on tourne en rond…

L'Assemblée de Bretagne, ce sera moins de temps consacré à dégager des compromis, ce seront des coûts sensiblement réduits pour bâtir des dossiers, pour faire émerger des projets. En un mot, il s'agira, par cette entremise, de clarifier, de simplifier, d'économiser. C'est la raison pour laquelle le vœu proposé par Pierrick Massiot et voté le 17 avril dernier par le Conseil Régional de Bretagne s'avère judicieux. Confiante dans la tradition bretonne de coopération et de partenariat entre les institutions et les acteurs socio-économiques et culturels, la collectivité régionale souhaite par ce truchement engager le dialogue avec les conseils généraux afin que les évolutions envisagées aboutissent à une meilleure efficacité de l'action publique. À cette fin, elle entend dresser *« un état des lieux et une analyse objective des conséquences engendrées par la création d'une assemblée unique de Bretagne, préfigurant un nouveau modèle d'organisation territoriale »*. Nul doute que les données incontestables ainsi recueillies permettront de nourrir utilement le débat.

La mise en place de la collectivité unique vise aussi à instituer, enfin, une politique publique pleinement cohérente, résultant de décisions prises au niveau régional et déclinées dans les territoires. Aujourd'hui, la répartition des compétences entre régions et départements apparaît volontiers artificielle et d'une réelle complexité. Pourtant en 1982, le législateur, tout en s'appliquant à bannir toute forme de hiérarchie entre les niveaux de collectivités, s'était efforcé de bâtir un schéma de partage des tâches cohérent et rationnel. Hélas, ce modèle a vécu. Quelques exemples en témoignent volontiers. La gestion des lycées relève des régions, celle des collèges des départements. Le transport ferroviaire régional (TER) est de la compétence des régions quand le transport routier interurbain dépend des départements. Aux régions la gestion des eaux profondes, aux départements celle des eaux de surface. Dans une pépinière d'entreprises, les départements s'occupent des murs et les régions de l'animation des lieux…

Un tel système, s'il fonctionne, peut néanmoins être perçu comme incompréhensible pour l'administré. Au-delà encore, l'excessive fragmentation des compétences exercées par les collectivités constitue un handicap évident pour appréhender les enjeux dans leur globalité et dès lors leur apporter une réponse aussi prompte que satisfaisante. L'objectif, en fusionnant les missions, doit être d'aboutir à l'émergence d'une organisation institutionnelle à la fois plus transparente, plus simple et plus efficace afin de résoudre de manière optimale les problèmes structurels auxquels est confrontée la Bretagne, sur le plan socio-économique (exode massif des jeunes diplômés faute d'emplois qualifiés dans la région) comme en termes d'aménagement du territoire (désertification du centre Bretagne, *« décrochage »* de la Bretagne occidentale par rapport à la Bretagne orientale). Elle ne parviendra à relever ces défis que par une capacité prospective et opérationnelle renforcée, par une vision stratégique confortée que la collectivité unique, seule, est en mesure de lui apporter.

Demain, les élus de l'Assemblée de Bretagne disposeront de cette nécessaire vue d'ensemble sur les problèmes de notre région qui fait aujourd'hui tant défaut aux conseillers régionaux et généraux. Il leur incombera tout à la fois de définir les politiques économiques, de formation professionnelle et d'emploi, de se prononcer sur les aides à l'implantation d'entreprises et aux zones d'activité, d'élaborer la stratégie immobilière pour l'accueil des lycéens et des collégiens, d'initier les actions d'accompagnement social, de décider de la mise en œuvre des dispositifs de soutien au transport en commun, qu'il s'agisse de la route ou du rail…

L'objectif est encore de donner un nouvel essor à la démocratie locale, qui traverse une crise d'une ampleur sans précédent. Nul ne peut nier que la décentralisation est progressivement devenue une affaire d'experts, à laquelle les citoyens, désemparés devant la complexité croissante des normes en vigueur et l'éclatement des responsabilités entre une multitude d'acteurs, ne comprennent plus rien. Telle est sans nul doute la cause première de la progression continue, depuis une trentaine d'années, du taux d'abstention à l'occasion des scrutins locaux. Le constat d'échec est patent. Les grandes lois de décentralisation des années 1980 avaient pour louable ambition de rapprocher le citoyen des lieux de pouvoir mais, en réalité, les Français se sont détournés toujours plus de ces lassants mécanos institutionnels, fruits des réformes successives de notre organisation territoriale, et dont les élus et les spécialistes, seuls, sont en mesure d'appréhender le sens et les fins.

L'Assemblée de Bretagne entend rompre résolument et radicalement avec ces errements. La quête assumée de lisibilité et de clarté sur laquelle repose ce projet doit conduire à promouvoir une exigence démocratique confortée et permettre dès lors de réconcilier nos concitoyens avec la chose publique. La réalisation de ce dessein se traduira par l'émergence d'une nouvelle unité et d'une nouvelle dynamique d'ensemble, mais dans le respect de la spécificité de chaque territoire. Comme évoqué plus haut, il ne s'agit nullement d'instaurer une centralisation à l'échelle régionale. Bien au contraire, le but est de pousser à son terme la logique décentralisatrice par une utilisation optimale du principe de subsidiarité. La mise en œuvre des conseils de territoire à l'échelle des Pays s'inscrit bien dans cette perspective.

Feu le département ?

Chacune des collectivités fut tour à tour critiquée. En 1945, Michel Debré, déjà, estimait que la France n'était pas assez riche pour s'offrir une administration à trois niveaux. Pourtant alors que bien des pays européens ont su mener les mutations indispensables de leur organisation territoriale, la France a persisté dans une logique de superposition plutôt que de substitution.

Ainsi l'émiettement communal est-il de plus en plus régulièrement dénoncé. De même, la modestie des budgets des régions, qui les cantonnent encore dans un rôle proche de celui des anciennes administrations de mission, est abondement soulignée. Cependant, ce sont les départements qui affrontent la tempête la plus sévère. *« Les conseils généraux ont vécu »* a tranché le président de la République, le 6 mai dernier, lors d'une interview, en réponse à une question sur la complexité territoriale. Ils *« sont issus de la Révolution française, nés il y a 225 ans. Que signifient encore les frontières des départements ? Il faut changer »* soulignait-il déjà le 18 janvier 2014 à Tulle.

Il ne faut pas s'étonner de ce constat abrupt. C'est une illusion que de croire que notre pays peut, dans une société en mouvement, conserver des structures immobiles. Il est vrai que l'histoire pèse ici de tout son poids. Créé le 15 janvier 1790, le département a été pensé par ses promoteurs comme un rempart à toute forme de provincialisme, alors assimilé à une inadmissible survivance d'Ancien Régime. Les révolutionnaires de 1793-1794 l'affirmaient sans ambages, *« mieux vaut avoir affaire à 80 petits roquets qu'à 15 gros chiens-loups »*... Il s'ensuivit la mise en place d'un quadrillage homogène du territoire national, dont la finalité peut à bon droit nous sembler étrange : le périmètre du département devait permettre à un cavalier d'atteindre n'importe quelle partie de cette circonscription administrative en une seule journée de voyage, de telle sorte que l'autorité politique, en son chef-lieu, soit informée dans les meilleurs délais de tout événement susceptible de se produire aux confins les plus reculés du territoire.

Ainsi puisque le département eut d'abord pour mission de relayer la volonté du pouvoir central, nul ne s'étonnera que l'autorité préfectorale y ait trouvé son indispensable point d'appui territorial. Les conditions mêmes qui ont conduit à l'émergence de cette entité administrative expliquent pour une large part le fait qu'elle soit aujourd'hui contestée : trop petite au regard des exigences du développement économique, trop grande pour garantir la proximité, nouveau Graal des politiques publiques. Même certains présidents de conseils généraux finissent par remettre en cause la légitimité de leur institution. C'est par exemple le cas de François Goulard qui note, non sans une pointe de perfidie à l'égard de ses collègues partisans du statu quo, que *« dans un pays où les niveaux d'administration sont à l'évidence trop nombreux, refuser le changement au prétexte que l'on détient un mandat visé par la réforme relève d'un conservatisme qui ne devrait plus être de mise*[37] ».

Le procès fait aux départements est probablement, pour une part, injuste. Au fil des évolutions législatives, ils ont su s'imposer comme la collectivité de référence pour les solidarités sociales et territoriales. Ce sont les conseils généraux qui, pour l'essentiel, assurent le pilotage et la coordination des partenariats dans le domaine de l'action sociale. Ils sont incontournables en matière de lutte contre l'exclusion et la pauvreté, d'aide aux personnes âgées, à l'enfance ou encore aux personnes handicapées. Ainsi, tous motifs d'intervention confondus, l'action sociale départementale a bénéficié en 2011 à plus de 3,5 millions de personnes.

De même, ils sont en première ligne pour l'appui technique et financier indispensable qu'ils apportent aux communes et aux intercommunalités, compensant ainsi le reflux de l'État dans ces territoires. Ils permettent un maillage fin des espaces, duquel découle une vraie représentativité – presque un recours – pour des zones rurales ou semi-urbaines dont les moyens sont forcément limités.

Telles sont les raisons pour lesquelles des voix ne manqueront pas de s'élever pour faire accroire que la disparition des départements signifierait moins de proximité et plus de bureaucratie. Leur lamento évoquera l'éloignement de la décision politique vers les capitales de régions immenses, sans toutefois jamais démontrer en quoi la gestion d'un dossier de RSA ou le versement

37. *Ouest-France*, 9 avril 2014.

d'une prise en charge au titre de l'aide sociale s'en trouverait concrètement perturbée…

Par ailleurs, un constat est unanimement partagé : les conseils généraux doivent faire face à une situation budgétaire difficile. Devenus largement une administration de gestion, ils sont confrontés à un effet de ciseaux, avec, d'une part, une baisse de leurs ressources et, d'autre part, une croissance de leurs dépenses liées à la gestion des trois prestations sociales universelles qui leur ont été confiées. À cela s'ajoutent des relations complexes, voire ambiguës, avec l'État, en raison, par exemple, du désengagement de ce dernier des territoires ruraux ou sur le dossier du financement des SDIS[38].

Je ne sais donc pas si la France doit demain se passer de cette structure mais je suis convaincu que la Bretagne peut s'en dispenser. Le conseil général est pris en tenaille par le haut, avec la région, et par le bas, avec l'intercommunalité. Et la pesanteur du réel est telle, avec ce qu'elle porte de tradition et d'idées fausses, qu'elle peut limiter l'audace et l'inventivité. Mais l'analyse froide demeure : il n'existe aucune compétence actuellement exercée par lui qui ne puisse l'être au moins aussi bien soit à l'échelle de la prochaine collectivité unique, soit à celle des agglomérations ou des pays.

La Bretagne comme solution

Le pouvoir régional profitera-t-il de la nouvelle configuration qui se profile pour amorcer une montée en puissance souvent annoncée mais, jusqu'à présent, jamais concrétisée ? C'est à souhaiter tant ces collectivités sont notoirement sous-dimensionnées à l'échelle européenne. À titre d'exemple, le budget général du conseil régional de Bretagne s'élève aujourd'hui à 1,3 milliard d'euros, alors que celui du gouvernement gallois

38. Lambert Alain, Détraigne Yves, Mézard Jacques, Sido Bruno, Sénat, Délégation aux collectivités territoriales, Rapport d'information n° 495 (2009-2010), 25 mai 2010.

avoisine les 20 milliards d'euros (précisément 15,2 milliards de livres sterling en 2010-2011, soit 18,5 milliards d'euros) – pratiquement vingt fois plus donc, pour une population à peu près équivalente (3,25 millions d'habitants pour la Bretagne administrative, 3,06 millions pour le pays de Galles). Le président de l'Association des Régions de France, Alain Rousset, rappelait récemment qu'une région française dépense en moyenne 400 euros par habitant, contre 3 500 en Allemagne et 5 000 en Autriche. Nul besoin, au demeurant, de comparaisons internationales pour mesurer la marginalité structurelle de cet échelon territorial dans notre pays. Relevons qu'aujourd'hui le budget cumulé des 26 régions françaises est inférieur à celui des intercommunalités – qui ne sont pourtant même pas reconnues, sur le plan juridique, comme de véritables collectivités territoriales. Globalement, ces mêmes 26 régions pèsent quatre fois moins que les communes et deux fois et demie moins que les départements.

Un calcul – à prendre avec précaution, tant il mérite d'être relativisé – aboutirait à un budget avoisinant les 5,7 milliards d'euros pour une collectivité unique de Bretagne intégrant la Loire-Atlantique. Un tel budget, certes, resterait très en dessous de celui de la moyenne des grandes régions européennes équivalentes. Mais du moins la Bretagne pourrait-elle alors faire entendre sa voix beaucoup plus fortement et beaucoup plus promptement qu'aujourd'hui auprès de ses interlocuteurs institutionnels. Les négociations avec l'État, en particulier, s'en trouveraient singulièrement facilitées pour tous les grands enjeux d'infrastructures pour lesquels son soutien financier est sollicité. Nul ne doit en douter, le renforcement du poids politique de notre région se révèle absolument fondamental alors que la compétitivité entre les territoires est devenue, qu'on le veuille ou non, une réalité incontournable.

Au-delà, une Bretagne plus forte verrait sa visibilité et son attractivité renforcées à l'échelle européenne et internationale. L'argument a déjà été avancé en 2013 par les partisans de la collectivité unique alsacienne. Par comparaison avec le land du Bade-Wurtemberg ou la Suisse du Nord-Ouest, faisaient-ils remarquer, l'Alsace – sans même parler du Bas-Rhin ou du Haut-Rhin – est un nain géographique, économique et institutionnel. Ils soulignaient également combien l'éparpillement des pouvoirs, la prolifération des acteurs politiques pouvaient déconcerter les voisins suisse et allemand et, partant, contrarier les efforts de rapprochement transfrontalier interrégional. À bien des égards les enjeux sont similaires pour la Bretagne dont le rayonnement futur dépendra de sa capacité à tisser des liens privilégiés avec des partenaires internationaux toujours plus nombreux, à commencer sans nul doute par les régions cousines de la frange celtique du Royaume-Uni et celles de l'Arc Atlantique.

La collectivité unique s'impose également dans la mesure où le mouvement en cours de métropolisation de la Bretagne nécessite d'être équilibré, ou tempéré par un nouveau type de pouvoir régional, résolument conforté dans ses missions. Certes, l'émergence de ces métropoles constitue une chance pour le développement de notre région. Il n'en demeure pas moins que la logique qui sous-tend leur montée en puissance peut conduire à une concurrence accrue entre les territoires (Brest d'un côté, Nantes et Rennes de l'autre), que ne sauraient réguler en l'état des instances régionales et départementales condamnées à l'impuissance en raison de leur très relatif poids budgétaire et politique. Une telle configuration exclut non seulement par principe toute politique ambitieuse d'aménagement du territoire, mais constitue en outre, potentiellement, l'élément déclencheur d'une compétition effrénée entre l'Ouest et l'Est breton dont le premier, au vu de l'actuel rapport de forces, ne peut que faire les frais, accélérant dans des proportions considérables un processus de déclin déjà bien engagé.

Pour résumer, si le Finistère et ses franges des Côtes-d'Armor et du Morbihan doivent être confortés, ils ne peuvent l'être que par une collectivité unique aux pouvoirs largement renforcés, seule susceptible d'œuvrer au respect et à la consolidation des indispensables équilibres territoriaux entre la Bretagne occidentale et la Bretagne orientale.

Qu'est-ce qu'être breton ?

Enfin, la collectivité unique doit voir le jour parce que la cohérence de la Bretagne est, clairement, régionale. Tous les sondages le démontrent régulièrement depuis des décennies. Le dernier en date, réalisé en avril 2014 par l'institut LH2[39] pour le compte de la presse régionale et de France Bleu atteste ainsi que le sentiment d'appartenance à la Bretagne est prioritaire pour 32 % de ses habitants[40], alors qu'ils ne sont que 9 % à revendiquer en premier lieu leur identité départementale ou communale. Au-delà, 83 % des Bretons se disent attachés à leur région, soit dix points de plus que la moyenne nationale.

Ces résultats sont d'ailleurs corroborés, et parfois amplifiés dans d'autres enquêtes. Ainsi une étude comparative de l'agence de communication NewCorp Conseil, également diffusée au mois d'avril 2014[41], révèle un sentiment de fierté d'être né en Bretagne de l'ordre de 96 %, sans équivalent dans aucune autre région et supérieur de 20 points à la moyenne nationale. Un constat qui conduit cette agence à avancer que le risque majeur de la réforme qui s'annonce est celui de créer un découpage administratif déconnecté de toute légitimité historique et culturelle régionale, d'aboutir en somme à la consécration d'un modèle marqué au sceau d'une désincarnation territoriale qui s'avérerait proprement incompatible avec une saine conception de la démocratie locale[42].

39. Sondage réalisé du 24 février au 3 mars 2014 auprès d'un échantillon national représentatif de 5 111 personnes âgées de 18 ans et plus.

40. En revanche, seuls 11 % des Français se sentent appartenir d'abord à leur région. Très loin après la Bretagne, les régions où ce sentiment est le plus prononcé sont l'Alsace (20 %), la Basse-Normandie (16 %) et le Nord-Pas-de-Calais (15 %). Celles où il est le moins affirmé sont l'Île-de-France (6 %), le Centre et le Rhône-Alpes (7 %), le Midi-Pyrénées (8 %).

41. Baromètre TOPDESREGIONS 2014. Échantillon national représentatif de 2000 Français âgés de 18 ans et plus, interrogés du 21 au 27 février 2014.

42. Concernant la Bretagne, soulignent les auteurs de l'étude, *« on peut penser que le législateur aura la bonne idée de ne pas y toucher, sauf s'il tient à voir déferler des hordes d'hermines sur la capitale »*...

On relèvera d'autre part que le taux d'abstention enregistré en Bretagne aux élections cantonales se révèle beaucoup plus conséquent qu'aux élections régionales. À titre d'exemple, entre le scrutin départemental de mars 2011 organisé dans le Finistère et le scrutin régional de mars 2010, l'on constate ainsi un différentiel de 5,41 points pour le premier tour et de 8,81 points pour le second tour – ce qui est considérable. Une analyse du résultat des cantonales partielles démontre aisément sinon l'étendue de la désaffection, du moins le faible intérêt des Bretons à l'égard de leurs conseils généraux. Onze élections partielles se sont déroulées dans la région entre 2002 et 2009. Le taux d'abstention s'élève en moyenne pour ces scrutins à 60,05 % au premier tour et à 61,09 % au second tour. Il frôle parfois les 80 %, comme à Guingamp le 11 décembre 2005…

La Bretagne ne peut espérer devenir une région innovante et rayonnante que si elle a le courage d'abandonner une organisation administrative héritée du dix-neuvième siècle pour aborder le vingt et unième dans un cadre territorial renouvelé et dynamisé, démocratique et performant, adapté aux grands défis de notre époque. On est loin en conséquence du retour aux *« limites de la province d'avant 1789 ou du duché d'avant 1532 »* évoqué par certains pour tenter de délégitimer le projet.

Au demeurant, ce n'est pas plus à mes yeux *« une question d'identité »*. Je me méfie de ce concept car, à l'instar de Jean-Claude Kaufmann, je le trouve *« entouré de flou, malgré ses usages de plus en plus fréquents, un flou qui profite à ceux qui veulent l'instrumentaliser pour nous entraîner dans leurs aventures haineuses »*[43]. Par essence polysémique, il permet donc plusieurs lectures. En soi l'identité n'est pas une tare, ni un handicap, encore moins un vice. L'histoire contemporaine de l'Europe le démontre volontiers. La montée en puissance, ces dernières décennies, de régions telles que la Catalogne, l'Écosse ou le Pays de Galles, si semblables à la nôtre, ne s'est pas traduite

43. Kaufmann Jean-Claude, Identités, la bombe à retardement, Textuel, p. 8.

par un enfermement mais au contraire par une ouverture au monde et un enrichissement tant humain que matériel. On peut bâtir sur l'identité – un développement économique, un rayonnement culturel, un art de vivre ensemble, c'est son absence qui peut condamner au déclin.

Mais la revendication de *« l'identité »* peut aussi se pervertir en racisme, quand la volonté d'être soi débouche sur le rejet de l'autre. Rien n'est plus simple pour les démagogues et les tenants du national-populisme que de dévoyer le sentiment d'appartenance en hostilité à l'encontre des étrangers présentés comme des intrus et stigmatisés pour leur prétendue dangerosité. Et ces pêcheurs en eau trouble peuvent aussi opérer en Bretagne. Dans une société en proie au pessimisme, à une juxtaposition impressionnante d'appréhensions si souvent irrationnelles, les motifs d'exaspération rongent les consciences. En pleine période dépressive, la crainte du déclin entretient des dramatisations.

Heureusement, une enquête récemment réalisée par l'institut TMO[44] se montre volontiers rassurante quant à la nature de *« l'identité bretonne »* : 21 % des sondés de la région estiment que le pays compte trop d'étrangers contre 66 % au plan national, 71 % qu'il faut s'ouvrir davantage au monde contre 58 % au plan national, 60 % que l'on peut être à la fois breton et musulman contre 37 % au plan national. Manifestement savoir qui l'on est rend plus apte à accepter l'altérité et plus enclin à s'y frotter. Au demeurant, c'est assez logique : on supporte d'autant plus volontiers la part de singularité d'autrui que l'on se montre disposé à assumer la sienne propre ! En résumé, donc, loin d'induire quelque propension malsaine et hautement condamnable à la xénophobie, le sentiment d'appartenance breton se traduit tout au contraire par une patente inclination à la xénophilie[45], que je

44. Enquête conduite le 9 et le 17 décembre 2013 dans les cinq départements de la Bretagne historique auprès d'un échantillon de 1 003 personnes.

45. Jean-Marie Le Pen devait le concéder lui-même dans une interview au magazine *Bretons* en mai 2008 : *« J'ai été frappé de voir que beaucoup de femmes qui sont mariées à des Arabes ou des Kabyles sont des Bretonnes. Il n'y a pas de prévention à l'égard de l'étranger en Bretagne. »*

m'en voudrais vraiment de décourager par les temps qui courent, où l'étranger est si commodément présenté comme la source de tous nos maux…

Construire une Assemblée de Bretagne, c'est donc l'ivresse d'une audace : celle qui conduit à renverser un ordre établi séculaire pour libérer les énergies et stimuler la créativité. C'est en fait renouer avec la philosophie de la réforme fondatrice de 1982.

5 - Les collectivités uniques, projets et réalisations : Où, quand, comment ?

À ce jour, une seule collectivité unique est en activité, celle de Mayotte, et son mode de fonctionnement très particulier ne permet guère d'en tirer des enseignements sur lesquels le projet breton pourrait s'appuyer.

D'autres micro-territoires, à l'instar de Saint-Martin, de Saint-Barthélemy et de Saint-Pierre et Miquelon, ont adopté ces dernières années une organisation qui n'est pas sans rappeler, par certains aspects, celle que je souhaiterais voir mise en œuvre dans notre région. Il conviendra dès lors d'en dire un mot.

Après Mayotte, la Guyane et la Martinique vont à leur tour fusionner leurs assemblées régionale et départementale en une collectivité unique en mars 2015. Les options institutionnelles retenues par la seconde notamment présentent quelques similitudes avec le modèle susceptible d'entrer en vigueur en Bretagne. Mais ce sont surtout les projets avortés, corse et plus encore alsacien, qui sont de nature à nourrir le plus utilement notre réflexion.

Au demeurant, ils constituent une potentielle source d'inspiration à plusieurs niveaux – par les orientations qu'ils ont promues naturellement, mais aussi par l'échec qu'ils ont enregistré. Pourquoi les électeurs corse et alsacien ont-ils rejeté la réforme qui leur était soumise ? La réponse à cette question n'est pas sans intérêt si l'on veut se prémunir, en Bretagne, de certaines chausse-trapes particulièrement redoutables.

Le laboratoire ultramarin

L'idée de collectivité unique est bien plus ancienne qu'on ne le croit habituellement. Voici en effet plus de trente ans qu'elle fut lancée pour la première fois, à la déconvenue de ses initiateurs... On sait qu'en 1946, plusieurs îles et territoires des Antilles et de l'océan Indien accédèrent au statut de départements d'outre-mer (DOM) – la Guyane, la Guadeloupe, la Martinique et la Réunion. Or lorsqu'en 1982 furent institués les conseils régionaux, il ne sembla pas opportun au gouvernement de Pierre Mauroy de laisser cohabiter dans ces quatre vieilles colonies deux assemblées distinctes dont le regroupement semblait relever du plus élémentaire bon sens. C'est ainsi qu'il fut préconisé la mise en œuvre, sur ces territoires, d'une collectivité unique qui aurait exercé à la fois les compétences du département et celles de la région. Ses membres auraient été intégralement élus au scrutin proportionnel de liste, entraînant ainsi la disparition du scrutin uninominal majoritaire en vigueur pour la désignation des conseillers généraux.

La réforme, ambitieuse, fut hélas invalidée par le Conseil constitutionnel. Dès lors la loi du 31 décembre 1982 institua-t-elle, dans les quatre territoires concernés, des régions d'outre-mer (ROM) qui vinrent se superposer aux départements d'outre-mer.

Assurément, le dispositif administratif pour le moins baroque qui en découla ne favorisa guère ni une saine gestion des deniers publics, ni une efficacité optimalisée des politiques mises en œuvre. Au-delà, le veto du conseil constitutionnel consacra-t-il un principe d'uniformité dans l'organisation territoriale de la France qui, s'appliquant à la majeure partie de l'outre-mer, s'imposait naturellement avec une force plus impérieuse encore à la métropole.

La situation demeura ainsi figée pendant plus de vingt ans. Il fallut en effet attendre la révision institutionnelle du 28 mars 2003 pour que soit introduite dans la loi fondamentale une disposition neutralisant la jurisprudence du Conseil constitutionnel. Inscrite à l'article 73, alinéa 7, elle donne toute latitude au législateur pour instituer une collectivité unique se substituant à un département et à une région d'outre-mer, sous réserve du consentement des électeurs des territoires concernés. L'on ne tarda pas à recourir au mécanisme ainsi instauré. Dès décembre 2003 fut en en effet soumis au corps électoral des deux grandes îles antillaises un projet d'assemblée unique – massivement rejeté à la Guadeloupe (72 % de non), de manière beaucoup moins tranchée à la Martinique (50,8 % de non). Ces consultations populaires ne furent toutefois pas complètement vaines puisque les populations de Saint-Barthélemy et de Saint-Martin se prononcèrent à cette occasion à une massive majorité (respectivement 76 et 95 % de oui) en faveur d'une évolution statutaire dont il sera question plus bas.

Par la suite, la Guadeloupe se montrera beaucoup plus en retrait, voire réticente, face à la perspective d'une telle réforme institutionnelle. À l'unanimité, ses conseillers régionaux ont encore exprimé, en janvier 2013, leur volonté de s'inscrire dans le processus de l'acte III de la décentralisation. *« Tout projet de réforme institutionnelle soumis à une consultation populaire risquerait d'être sanctionné négativement »*, soulignèrent-ils ainsi à cette occasion. De fait, un sondage publié le 26 février 2014 démontre que cet enjeu n'est une préoccupation que pour 6 % des Guadeloupéens, très loin derrière le chômage et l'emploi (59 %), l'insécurité (46 %) et la jeunesse (38 %). De même, cette problématique ne constitue pas, sur l'île de la Réunion, une question prioritaire pour les élus locaux. Ces derniers sont, dans leur grande majorité, hostiles à une évolution différenciée de leur statut et du droit applicable par rapport à celui de l'hexagone.

En 2009, le rapport du comité pour la réforme des collectivités locales, présidé par Édouard Balladur, se prononça en faveur de l'instauration, dans les régions et départements d'outre-mer, d'une assemblée unique (proposition n° 20). Dans la foulée, un nouveau projet d'évolution statutaire fut élaboré à l'attention de la Guyane et de la Martinique. Le 10 janvier 2010, les électeurs de ces deux territoires refusèrent à une très large majorité l'autonomie accrue qui leur était proposée, par la mise en place d'une collectivité d'outre-mer régie par l'article 74 de la Constitution. Les Guyanais rejetèrent ce projet à 69,8 % (48,16 % de participation), les Martiniquais à 78,9 % (55,35 % de participation). Il avait cependant été prévu que, dans un tel cas de figure, un second référendum serait organisé quinze jours plus tard. Le 24 janvier, il fut donc demandé aux mêmes électeurs s'ils approuvaient *« la création d'une collectivité unique exerçant les compétences dévolues au département et à la région tout en demeurant régie par l'article 73 de la Constitution »*. Cette fois, la proposition fut, dans les deux territoires, validée par le corps électoral. Les Guyanais consentirent en effet au passage à une collectivité unique à 57,49 %, les Martiniquais à 68,3 % – mais avec un taux de participation très faible, respectivement 27,42 et 35,81 %.

L'aboutissement de ce processus a été la promulgation de deux lois le 27 juillet 2011 : une loi ordinaire qui institue les deux collectivités uniques, et une loi organique qui rénove la procédure de demandes d'habilitation des deuxième et troisième alinéas de l'article 73 de la Constitution.

La Guyane et la Martinique constitueront donc chacune *« une collectivité territoriale de la République régie par l'article 73 de la Constitution qui exerce les compétences attribuées à un département d'outre-mer et à une région d'outre-mer et toutes les compétences qui lui sont dévolues par la loi pour tenir compte de ses caractéristiques et contraintes particulières »*. L'entrée en vigueur de ces deux nouvelles collectivités surviendra en mars 2015, à l'occasion du renouvellement du mandat des conseillers départementaux et régionaux. Les acteurs concernés disposent ainsi d'un délai suffisamment long pour préparer dans des conditions optimales la fusion des administrations. Une commission tripartite État – Département – Région a été instituée à cette fin. Prévue par l'article 15 de la loi ordinaire du 27 juillet 2011, elle permet notamment aux collectivités impliquées dans ce processus de réforme institutionnelle de bénéficier du soutien technique des services préfectoraux.

Les deux assemblées disposeront de la compétence générale pour régler, par leurs délibérations, l'ensemble des affaires relevant de leur territoire, et exerceront les compétences spécifiques aux régions et départements d'outre-mer. Pour le reste, elles s'inspirent de modèles institutionnels très distincts.

La Guyane

La future collectivité unique de Guyane s'inspirera très largement du mode d'organisation qui est celui de nos régions métropolitaines. Ainsi, elle s'appuiera sur une assemblée délibérante dont le président, assisté d'une commission permanente, assurera les fonctions exécutives.

Les organes de cette nouvelle collectivité seront au nombre de trois. D'abord l'assemblée de Guyane, composée de 51 conseillers. La loi prévoit cependant une réévaluation de leur nombre en fonction de l'évolution démographique de ce territoire. Ensuite, le président de l'assemblée. Enfin, le conseil économique, social et environnemental, de la culture et de l'éducation – instance consultative unique qui résultera de la fusion du conseil économique, social et environnemental, et du conseil de la culture, de l'éducation et de l'environnement.

En mars 2015, donc, les conseillers seront élus au scrutin proportionnel de liste pour un mandat de six ans. La Guyane constituera une circonscription unique composée de huit sections électorales, délimitées de telle sorte que soit représentée de manière équilibrée la diversité de ce territoire. Chacune de ces sections disposera d'un nombre de sièges qui dépendra de son poids démographique, avec un seuil-plancher de trois sièges pour les sections les moins peuplées. La liste parvenue en tête des suffrages sur l'ensemble de la Guyane bénéficiera d'une prime majoritaire de onze sièges. Elle sera affectée dans les sections, à raison d'un à deux sièges par section. Les autres sièges seront ensuite répartis entre les listes en fonction de leurs résultats dans chaque section. Le but de ce dispositif est de garantir à chaque section d'être représentée au sein de l'assemblée comme au sein de la majorité de cette assemblée.

Les conditions de désignation aux différentes fonctions, l'organisation des séances, les modalités de délibération, le statut des élus et leurs relations avec le préfet s'inspirent très largement des dispositions régissant les conseils régionaux. En revanche, la collectivité unique de Guyane différera de ce modèle sur un certain nombre d'autres points. Par exemple, dans un souci de pluralisme, la désignation de conseillers à des organismes extérieurs devra tenir compte de la représentation proportionnelle des groupes politiques. D'autre part, l'absentéisme des élus sera sanctionné par une réduction d'au moins 20 % de leurs indemnités, alors qu'il ne s'agit que d'une faculté dans le droit commun des régions et départements. Enfin, la commission permanente verra le périmètre de ses compétences sensiblement élargi, notamment en matière de marchés publics et d'attribution de subventions, sauf si l'assemblée de Guyane s'y oppose.

La Martinique

L'organisation institutionnelle retenue pour la Martinique présente d'importantes similitudes avec celle qui a été conçue pour la collectivité territoriale de Corse en 1991 et, partant, n'est pas non plus sans rappeler par certains aspects le modèle envisagé pour la Bretagne. En l'occurrence, le dispositif qui s'appliquera à partir de 2015 distingue l'exécutif de la future institution, qui sera collégial, de la présidence de son assemblée délibérante. Comme l'assemblée de Guyane, celle de Martinique sera composée de 51 membres. Il lui reviendra d'élire en son sein un conseil exécutif de neuf membres.

Les conseillers à l'Assemblée de Martinique seront élus au scrutin proportionnel de liste. Le territoire sera divisé en quatre sections correspondant aux quatre circonscriptions législatives. Une prime de onze sièges sera attribuée à la liste parvenue en tête sur l'ensemble de la Martinique, conformément au modèle prévu pour la Guyane.

L'assemblée élira son président et quatre vice-présidents, qui formeront le bureau dont la mission sera d'organiser les travaux de l'organe délibérant. On retrouve donc, dans ce domaine, le modèle traditionnel des conseils régionaux. Le conseil exécutif, pour sa part, sera composé d'un président et de huit conseillers exécutifs. Il sera élu par l'assemblée de Martinique en son sein, au scrutin majoritaire de liste. Le président du conseil sera le candidat figurant en tête de la liste élue. Son champ de compétence sera très étendu. Il sera chargé de la préparation et de l'exécution des délibérations de l'assemblée de Martinique. Il sera l'ordonnateur de la collectivité et le chef de l'administration. Il devra déléguer une partie de ses attributions aux conseillers exécutifs. À l'instar d'un président de conseil régional, il rendra compte chaque année de son activité dans un rapport présenté devant l'assemblée de Martinique.

Le mandat de conseiller à cette assemblée sera incompatible avec la fonction de conseiller exécutif. Ainsi, les membres de l'instance délibérante élus au conseil exécutif, à l'expiration d'un délai d'option d'un mois, seront remplacés par les candidats suivants des listes sur lesquelles ils auront été élus.

Par le truchement d'une motion de défiance constructive, l'assemblée pourra renverser le conseil exécutif. Cette motion devra être motivée. Elle comportera la liste des élus appelés à former le nouveau conseil exécutif en cas d'adoption. Pour être recevable, elle devra être déposée par un tiers des conseillers de l'assemblée. Son adoption ne pourra s'opérer qu'à la majorité qualifiée des trois cinquièmes des membres de l'organe délibérant. Dans ce cas, les membres du conseil exécutif perdront leur fonction sans retrouver leur mandat au sein de l'assemblée.

Enfin, comme en Guyane, les deux conseils consultatifs locaux seront quant à eux fusionnés en un unique conseil économique, social et environnemental. Cependant, afin de ne pas diluer la dimension culturelle, essentielle dans ces deux territoires, deux sections cohabiteront au sein de cette nouvelle structure : une section *« économique, sociale et environnementale »* et une section *« de la culture, de l'éducation et des sports »*, chacune d'elles élisant un vice-président ayant rang de vice-président du conseil.

Saint-Martin et Saint-Barthélemy

Longtemps, les îles antillaises de Saint-Martin et de Saint-Barthélemy émirent le souhait d'acquérir une autonomie accrue par rapport à la Guadeloupe. La révision constitutionnelle de 2003 a créé les conditions de l'évolution statutaire revendiquée. Suite à la consultation du 7 décembre 2003 des électeurs des deux îles, la loi organique du 21 février 2007 a institué deux collectivités d'outre-mer, l'une qui a pris le nom de *« collectivité de Saint-Barthélemy »* (24 km^2, 9 000 habitants), et l'autre celui de « collectivité de Saint-Martin » (80 km^2, 30 000 habitants). Elles assurent les compétences dévolues aux communes, ainsi que celles dévolues au département et à la région de la Guadeloupe, et peuvent en outre adapter localement les lois en règlement en vigueur. Bref, les habitants de ces îles n'ont affaire, outre l'État, qu'à un seul échelon administratif – leur collectivité.

Celle-ci fixe les règles applicables dans les domaines suivants : impôts et taxes, cadastre ; urbanisme, construction, habitation, logement (seulement à partir de 2012 pour Saint-Martin) ; circulation routière et transports routiers, desserte maritime d'intérêt territorial, immatriculation des navires, aménagement et exploitation des ports maritimes ; voirie ; environnement (uniquement à Saint-Barthélemy) ; accès au travail des étrangers ; énergie (seulement à partir de 2012 pour Saint-Martin) ; tourisme.

Les organes de ces deux collectivités comprennent le conseil territorial, le président du conseil territorial, le conseil exécutif, le conseil économique, social et culturel.

Le conseil territorial est l'assemblée délibérante de l'île. Celui de Saint-Barthélemy est composé de 19 membres, celui de Saint-Martin de 23. Ces conseillers sont élus pour cinq ans, au scrutin de liste à deux tours, sur une circonscription unique. Ils exercent les compétences dévolues aux conseils municipaux, aux conseils généraux et régionaux, ainsi qu'au conseil général et au conseil régional de la Guadeloupe. Lorsqu'il y a été habilité, il est en outre loisible au conseil territorial d'adapter aux caractéristiques et contraintes spécifiques de la collectivité les dispositions législatives et réglementaires en vigueur.

Son président est élu au scrutin majoritaire uninominal à trois tours. Il peut être renversé par le vote d'une motion de défiance qui doit, d'une part, exposer les motifs pour lesquels elle est déposée et, d'autre part, indiquer le nom du candidat appelé à remplacer le sortant. Il préside le conseil exécutif, assisté de quatre vice-présidents et de deux autres conseillers. Cette instance arrête les projets de délibération à soumettre au conseil territorial et prend sur proposition de ce dernier les règlements nécessaires à la mise en œuvre de ces délibérations.

Désigné pour cinq ans, le conseil économique, social et culturel, enfin, assiste à titre consultatif l'organe délibératif.

Saint-Pierre et Miquelon

Territoire d'outre-mer de 1946 à 1976, l'archipel de Saint-Pierre et Miquelon a, à cette date, été érigé en département d'outre-mer. Son statut a encore évolué en 1985, où il est devenu une collectivité à statut particulier. Dotée d'un conseil général et d'un conseil économique et social, celle-ci exerçait alors les compétences dévolues tant aux départements qu'aux régions. Dans le prolongement de la révision constitutionnelle de 2003, la loi organique du 21 février 2007, déjà évoquée concernant Saint-Martin et Saint-Barthélemy, a institué la collectivité territoriale de Saint-Pierre et Miquelon, soumise de plein droit aux lois et règlements mais ceux-ci étant susceptibles de faire l'objet d'adaptations en fonction des contraintes et singularités locales.

Cette collectivité exerce donc les compétences dévolues aux départements et régions, à l'exception de celles relatives à la construction et à l'entretien général et technique ainsi qu'au fonctionnement des collèges et lycées, à l'accueil, à la restauration et à l'hébergement dans ces établissements, au recrutement et à la gestion des personnels techniciens et ouvriers de service y accomplissant ces missions ; à la construction, à l'aménagement, à l'entretien et à la gestion de la voirie classée en route nationale ; à la lutte contre les maladies vectorielles ; à la police de la circulation sur le domaine de la collectivité ; aux bibliothèques régionales et bibliothèques de prêt départementales ; au financement des moyens des services d'incendie et de secours.

En revanche, la collectivité établit les règles applicables dans les matières suivantes : impôts, droits et taxes ; cadastre ; régime douanier ; urbanisme, construction, habitation, logement ; création et organisation des services et des établissements publics dépendant de son périmètre de compétences.

Ses institutions comprennent le conseil territorial, le président du conseil territorial, le conseil exécutif ainsi que le conseil économique, social et culturel.

Le conseil territorial est composé de 19 membres. La collectivité constitue une circonscription unique dotée de deux sections communales : Saint-Pierre, 15 sièges pour 5 900 habitants, Miquelon-Langlade, 4 sièges pour 700 habitants. Le scrutin de liste s'applique, avec une prime à celle parvenue en tête qui s'élève à la moitié des sièges à pourvoir.

Le président du conseil territorial est élu au scrutin majoritaire uninominal à trois tours. Sa responsabilité peut être mise en cause par l'adoption d'une motion de défiance de l'organe délibératif, qui doit indiquer le nom du candidat appelé à le remplacer.

Le conseil exécutif est dirigé par le président du conseil territorial, assisté de cinq vice-présidents et de deux conseillers. Ils sont élus au scrutin de liste.

Enfin, le conseil économique, social et culturel exerce une fonction consultative auprès du conseil territorial.

Mayotte

Mayotte constitue donc à ce jour la seule collectivité unique en activité. Il convient à ce titre de s'étendre un peu plus longuement sur son mode de fonctionnement, même si l'organisation qui est la sienne, d'inspiration départementale, s'avère très éloignée du mécanisme institutionnel que je défends pour la Bretagne.

La loi organique du 21 février 2007 a érigé Mayotte (184 000 habitants, 374 km^2) en collectivité d'outre-mer. Tant dans l'esprit de la population locale que dans celui du gouvernement français, il ne s'agissait là, toutefois, que d'une étape vers la départementalisation. La loi prévoyait d'ailleurs que, *« à compter de la première réunion qui suit son renouvellement en 2008, le conseil général de Mayotte [puisse], à la majorité absolue de ses membres et au scrutin public, adopter une résolution portant sur la modification du statut de Mayotte et son accession au régime de département et région d'outre-mer défini à l'article 73 de la Constitution* ».

De fait, dès ce moment, dans les matières relevant de la compétence de l'État, le principe de l'assimilation législative (article 73 de la Constitution) devint la règle et celui de la spécialité législative (article 74 de la Constitution) l'exception.

La *« collectivité départementale de Mayotte »* exerçait les compétences dévolues par les lois et règlements aux départements et aux régions, ainsi qu'aux régions d'outre-mer, à l'exception de celles relatives aux collèges et lycées (construction, entretien, recrutement et gestion des personnels techniciens et ouvriers de service), à la voirie classée en route nationale, à la lutte contre les maladies vectorielles.

Les institutions de cette collectivité comprenaient le conseil général, le président du conseil général, la commission permanente du conseil général, le conseil économique et social ainsi que le conseil de la culture, de l'éducation et de l'environnement.

Le conseil général constituait l'assemblée délibérante de la collectivité. Chaque canton de Mayotte – il y en avait 19 – en élisait un membre, pour un mandat de six ans, et l'institution était renouvelée par moitié tous les trois ans. Quant à son président, il était élu au scrutin uninominal à trois tours dans la foulée de chacun de ces renouvellements triennaux.

Comme dans toute structure départementale, la collectivité s'appuyait sur une commission permanente et un bureau et, comme dans toute structure régionale d'outre-mer, sur un conseil économique et social et un conseil de la culture, de l'éducation et de l'environnement.

Le 29 mars 2009, un référendum fut organisé sur l'évolution institutionnelle de l'île. À une écrasante majorité (95,2 % des suffrages exprimés), les électeurs optèrent pour un changement de statut impliquant, d'une part, la mise en œuvre d'une collectivité unique exerçant les compétences dévolues aux régions et aux départements et, d'autre part, l'adoption du régime prévu à l'article 73 de la Constitution – celui des régions et départements d'outre-mer.

La loi organique du 3 août 2009 est venue concrétiser sur le plan juridique les aspirations au changement formulées par le corps électoral insulaire. Son article 63 dispose qu'« à compter de la première réunion suivant le renouvellement de son assemblée délibérante en 2011, la collectivité départementale de Mayotte est érigée en une collectivité régie par l'article 73 de la Constitution, qui prend le nom de *« Département de Mayotte »* et exerce *« les compétences dévolues aux départements d'outre-mer et aux régions d'outre-mer »*. Pour sa part, la loi ordinaire du 7 décembre 2010 définit l'organisation de la nouvelle collectivité ainsi que les modalités des transferts à effectuer, et institue un fonds mahorais de développement. Enfin, une loi organique promulguée le même jour confère au Département de Mayotte une capacité d'intervention dans certains domaines de compétences de l'État et lui permet de conserver, à titre provisoire, certaines prérogatives notamment en matière fiscale.

Le 31 mars 2011, Mayotte est donc devenue le 101e département français. Il faut souligner que son conseil général sera renouvelé en totalité dès 2015 afin de faire coïncider l'élection de ses conseillers avec celle des élus de métropole.

Sur le plan de l'organisation institutionnelle, cette collectivité unique fonctionne suivant des règles qui sont celles des départements d'outre-mer, avec son organe délibératif (le conseil général) et son organe exécutif (le président du conseil général). En 2011, les conseillers généraux ont été élus au scrutin uninominal majoritaire à deux tours, sur la base de 19 cantons dont le périmètre présentait la particularité de correspondre à celui des 19 communes de l'île. Maires et élus départementaux œuvraient donc sur un même territoire, bien que dotés de compétences différentes.

Le récent redécoupage cantonal, dans la perspective des élections de 2015, prévoit de refondre les 19 cantons actuels en 13, avec, conformément à la nouvelle norme commune, un homme et une femme élus pour chacun. L'assemblée départementale comptera donc, dès l'an prochain, 26 conseillers au lieu des 19 actuels. Cette réforme est pourtant très mal vécue sur l'île, où l'habitude était profondément ancrée de voter pour un candidat de la commune qui fût également un candidat du canton. La nouvelle configuration, à laquelle le conseil général, qui réclamait 25 cantons et 50 élus, s'est opposé, bouleverse tant les identités territoriales que les traditions électorales.

Les expérimentations métropolitaines

La Corse

Détachée de la région PACA en 1970, la Corse bénéficie depuis la promulgation de la loi du 2 mars 1982 d'un statut particulier, lié à son insularité mais aussi au contexte politique très particulier qui est le sien ! La loi du 30 juillet 1982 a octroyé à la *« collectivité territoriale »* ainsi instituée des compétences élargies par rapport aux régions créées au même moment sur l'ensemble du territoire national. Elle a aussi mis en œuvre les premiers offices spécialisés, pour les transports, l'hydraulique et l'agriculture.

La loi du 13 mai 1991, quant à elle, a organisé les institutions de la collectivité de manière spécifique. Elle instaure d'abord une assemblée délibérante, dite *« Assemblée de Corse »*, qui comprend 51 membres élus pour cinq ans dans une circonscription unique. Conformément au modèle s'appliquant à l'ensemble des régions françaises, cette instance dispose d'une compétence générale sur les affaires relevant de son territoire, adopte le budget et le compte administratif. À ces traditionnelles prérogatives s'ajoutent cependant, dans le cas de la Corse, l'exercice d'un conséquent pouvoir réglementaire et la faculté d'adopter divers documents de planification.

La loi prévoit ensuite l'élection par l'assemblée de Corse d'un organe exécutif collégial dénommé *« conseil exécutif »*. Celui-ci comprend un président et huit conseillers élus au sein de l'instance délibérative au scrutin de liste. Il peut être renversé par l'assemblée au moyen d'une motion de défiance. Ces deux institutions sont en outre assistées d'un conseil économique, social et culturel dont le périmètre d'intervention, par rapport aux conseils économiques et sociaux régionaux alors en activité sur le continent, est élargi à *« l'action culturelle et éducative »* ainsi qu'à la promotion du *« cadre de vie »*. En comparaison des régions régies par le droit commun, la collectivité territoriale de Corse exerce enfin des compétences plus étendues, notamment pour encourager son développement économique et promouvoir son identité culturelle. La loi du 22 janvier 2002 a d'ailleurs procédé à son bénéfice à de nouveaux transferts.

Sur proposition du gouvernement, le Parlement a décidé, par la loi du 10 juin 2003, d'appliquer à l'île les dispositions de l'article 72-1 de la Constitution, résultant de la révision institutionnelle du 28 mars 2003, qui permettent *« lorsqu'il est envisagé de créer une collectivité territoriale dotée d'un statut particulier ou de modifier son organisation, (...) de consulter les électeurs inscrits dans les collectivités intéressées »*.

La réforme institutionnelle proposée aurait abouti, si elle avait été validée, à l'instauration d'une collectivité unique corse. Son organisation est détaillée dans l'annexe de la loi du 10 juin 2003.

Cette instance unique se serait substituée à l'actuelle collectivité territoriale de Corse ainsi qu'aux deux départements de la

Haute-Corse et de la Corse-du-Sud, dont elle aurait exercé les missions. Elle aurait disposé d'une compétence générale pour les affaires de l'île. Son siège aurait été fixé à Ajaccio.

Elle aurait été administrée par une assemblée délibérante, appelée Assemblée de Corse, et par un conseil exécutif, élu par l'Assemblée de Corse et responsable devant elle. Les services de trois collectivités concernées lui auraient été transférés dans le respect de la garantie statutaire des personnels.

Elle aurait compris deux subdivisions administratives dépourvues de la personnalité morale, dont les limites territoriales auraient été celles de la Haute-Corse et de la Corse-du-Sud. Ces deux subdivisions auraient été le ressort d'une assemblée délibérante, l'une dénommée conseil territorial de la Haute-Corse et l'autre conseil territorial de la Corse-du-Sud, ayant chacune un président. Les instances en question auraient été composées d'une part des membres de l'Assemblée de Corse élus dans leurs ressorts respectifs, d'autre part de conseillers élus suivant les mêmes modalités. Ces membres auraient été appelés conseillers territoriaux de la Haute-Corse et conseillers territoriaux de la Corse-du-Sud.

Dotée de la personnalité morale, la collectivité unique aurait été seule habilitée, aux côtés des communes et des établissements publics de coopération intercommunale, à percevoir tout ou partie du produit des impositions de toutes natures et à recruter du personnel.

Les conseils territoriaux auraient été chargés de mettre en œuvre les politiques de cette collectivité unique. Ils auraient toujours agi pour son compte et selon les règles qu'elle aurait fixées. À cette fin, la collectivité unique leur aurait affecté des dotations, dans le cadre de son budget, et aurait mis ses services à leur disposition en tant que de besoin.

Le conseil territorial de la Haute-Corse aurait siégé à Bastia, celui de la Corse-du-Sud à Ajaccio.

Les membres de l'Assemblée de Corse et de ses deux conseils territoriaux auraient été élus dans le cadre d'une seule circonscription électorale correspondant à l'ensemble de l'île. L'élection se serait déroulée au scrutin de liste à la représentation proportionnelle, avec attribution d'une prime majoritaire, dans le cadre de secteurs géographiques. Elle aurait été organisée sur une base essentiellement démographique. Le mode de scrutin aurait permis à la fois la représentation des territoires et celui des populations, dans le respect de la parité hommes-femmes.

L'Assemblée de Corse aurait élu son président ainsi que le président et les membres du conseil exécutif. De même, chaque conseil territorial aurait procédé à l'élection de son président.

L'Assemblée de Corse aurait arrêté les politiques de la collectivité unique, assuré leur planification et fixé les règles de leur mise en œuvre. Pour des raisons de bonne gestion et de proximité, elle aurait pu, le cas échéant, confier cette mise en œuvre aux deux conseils territoriaux.

Il aurait cependant incombé à la loi de définir les compétences de la collectivité dont l'exercice n'aurait pu être confié aux conseils territoriaux, dans la mesure où elles auraient engagé l'unité des politiques publiques et la cohérence des décisions prises au niveau de l'île. Auraient figuré parmi ces compétences la détermination du régime des aides aux entreprises et l'élaboration du plan d'aménagement et de développement durable de la Corse. Réciproquement, il serait revenu à la loi de réserver aux deux conseils territoriaux la mise en œuvre, dans les conditions fixées par l'Assemblée de Corse, de certaines compétences de proximité dévolues aux départements, telles que la gestion des politiques sociales, celle des routes secondaires ou les aides aux communes. Enfin, la collectivité unique aurait pu confier l'exercice de certaines de ses prérogatives aux communes ou aux établissements publics de coopération intercommunale.

À l'occasion du référendum organisé le 6 juillet 2003, les électeurs corses ont rejeté de peu, à 50,98 %, l'évolution statutaire qui leur était ainsi proposée. Le taux d'abstention s'est révélé relativement faible, 39,48 %.

Les opposants au projet l'ont emporté dans les villes d'Ajaccio et de Bastia, ses partisans dans les grosses communes ainsi que dans un nombre important de localités rurales de l'intérieur. En substance, une analyse électorale du scrutin démontre que les territoires où le *« non »* a prévalu correspondent à des zones d'ancrage de l'idée républicaine sous la troisième République, mais également à celles du gaullisme en 1965. D'autres observateurs ont souligné que le très grand nombre d'élus en Corse a favorisé l'enracinement d'une certaine forme de clientélisme dans la vie politique et la solide persistance de clans fermement accrochés au système institutionnel en place. Pour le sociologue Michel Wieviorka, la mobilisation contre la réforme des retraites est à l'origine de la victoire du *« non »* dans *« une île où la fonction publique pourvoit massivement l'emploi »*[46]. Des causes plus conjoncturelles encore ont également joué dans cet échec. Ainsi l'arrestation d'Yvan Colonna deux jours avant le scrutin a troublé une partie de l'électorat nationaliste, qui n'a semble-t-il pas compris que l'État puisse simultanément prôner l'ouverture politique et pratiquer une répression accrue.

Le résultat de cette consultation n'avait, constitutionnellement, valeur que de simple avis. Le gouvernement de Jean-Pierre Raffarin, cependant, a aussitôt indiqué qu'il en tiendrait compte et, faute d'évolution institutionnelle, a renouvelé son engagement à poursuivre l'application de la loi du 22 janvier 2002 relative à la Corse. Ainsi les transferts de personnels et de ressources prévus par cette loi ont-ils été conduits à leur terme, de même que l'application des mesures destinées à favoriser le développement économique de l'île.

46. Wievorka Michel, "Chirac et le néogauchisme", Libération, 14 août 2003.

L'Alsace

Comme il l'a été régulièrement rappelé, le modèle institutionnel suggéré pour la Bretagne s'inspire très largement de celui qui, au printemps 2013, fut proposé aux Alsaciens. Il n'est donc pas utile de revenir sur la teneur du projet que ceux-ci rejetèrent voici un peu plus d'un an. Il importe en revanche ici de cerner les causes qui les ont conduits à le repousser, dans l'espoir que nous parviendrons ainsi à tirer toutes les conséquences des éventuelles erreurs commises par les partisans de la collectivité unique alsacienne pour mieux en prémunir notre région. En l'espèce, un constat s'impose : le référendum d'avril 2013 s'annonçait imperdable. Un sondage réalisé par l'institut CSA un mois avant le scrutin donnait le *« oui »* gagnant à 75 % avec un taux de participation de 47 %. On sait pourtant ce qu'il advint au bout du compte. Comment donc expliquer cet échec d'autant plus cuisant que rien ne le laissait présager ?

Le directeur du Département opinion publique à l'IFOP, Jérôme Fourquet, a consacré une analyse très éclairante à ce naufrage électoral[47]. Selon lui, les facteurs qui expliquent celui-ci sont multiples. D'abord, souligne-t-il, le projet a été exposé de manière trop technocratique et trop abstraite, ce qui a conduit nombre d'électeurs à n'y voir qu'une *« affaire d'élus »* et, partant, a contribué à alimenter l'abstention dans des proportions importantes. Au demeurant, le contexte national volontiers morose (inquiétudes sociales, impopularité de l'exécutif…) ainsi que l'affaire Cahuzac n'ont pas non plus créé les conditions d'une participation satisfaisante. Ensuite, la France étant ce qu'elle est – un pays encore très centralisé –, l'enjeu est apparu strictement local, et donc d'un intérêt très secondaire tant pour les médias nationaux, qui se sont désintéressés de la campagne, que pour les leaders du PS et de l'UMP qui, en dépit de leur soutien affiché au projet, n'ont pas fait le déplacement en Alsace, alors même que les prosélytes du *« non »*, eux, se mobilisaient avec une détermination confinant à la ferveur.

47. Fourquet Jérome, "Eléments d'analyse sur l'échec du référendum alsacien", Fondation Jean-Jaurès, note n° 164, avril 2013.

La campagne hyperactive menée par ces derniers (Front national, Debout la République, Front de Gauche, mais aussi des syndicats comme FO ou la CGT) a indéniablement porté ses fruits. L'accent a été mis sur l'impérieuse nécessité de s'opposer à un projet dicté par *« l'Europe antinationale des régions »*, qui aurait visé à transformer l'Alsace en un *« land »*, première étape de la désintégration du cadre républicain, dont le département aurait constitué le symbole et le fondement. Certains détracteurs de la collectivité unique ne reculant pas devant les arguments les plus excessifs, la menace d'une annexion allemande a même été brandie, dont on peut penser qu'elle n'a pas été sans impact sur cette terre particulièrement malmenée par l'histoire. L'extrême gauche a également insisté sur le risque d'une *« France à plusieurs vitesses »* dont l'Alsace serait en quelque sorte le laboratoire.

Jérôme Fourquet observe que la carte du *« non »* présente de grandes similitudes avec celle des résultats agrégés de Jean-Luc Mélenchon, Nicolas Dupont-Aignan et Marine Le Pen à l'occasion du premier tour de l'élection présidentielle de 2012. Pareillement, la corrélation se révèle frappante avec le vote négatif lors du référendum sur le traité européen de 2005. De fait, la configuration politique est identique entre la campagne nationale qui s'est tenue voici neuf ans et celle organisée en Alsace en 2013 : d'un côté les partis de gouvernement soutenant l'intégration européenne et de nouvelles avancées en matière de décentralisation contre, de l'autre, les tenants de l'État-Nation, indéfectiblement attachés à la préservation de l'échelon départemental face à la montée en puissance des euro-régions.

Encore ce tableau mérite-t-il d'être quelque peu nuancé. Le PS, l'UDI et l'UMP, en principe favorables à la réforme alsacienne, n'ont guère été capables, loin s'en faut, d'opposer un front commun aux zélateurs du statu quo institutionnel. La droite locale, bien que porteuse du projet, est ainsi apparue divisée, comme le révèle par exemple l'attitude du maire de Colmar, très critique, qui a multiplié les avertissements concernant l'inéluctable décrochage de sa ville en cas de victoire du *« oui »*. A contrario, certains élus socialistes, notamment ceux de l'agglomération strasbourgeoise, ont dénoncé une réforme qui prévoyait le transfert de l'exécutif régional à… Colmar et qui, dès lors, était perçue comme desservant leurs intérêts territoriaux. Plus globalement, l'électorat de gauche ne s'est guère mobilisé pour soutenir un projet porté par la majorité régionale UMP et identifié à elle.

Divisions politiques mais aussi territoriales… Le sentiment de déclassement des habitants du Haut-Rhin, leur crainte d'une hégémonie croissante de la grande métropole strasbourgeoise ont généré, affirme encore le directeur de l'IFOP, un réflexe de *« patriotisme départemental »* qui s'est traduit sur leur territoire par un rejet du projet à une assez large majorité (55,7 %). Globalement, le *« oui »* s'est imposé dans les zones privilégiées sur le plan économique (la capitale régionale et sa grande périphérie, la plupart des aires urbaines…) alors que les espaces du *« non »* correspondent aux contrées périphériques (montagne vosgienne) ou industrielles en crise. À noter donc la différence radicale de positionnement entre les agglomérations corses et alsaciennes. Alors que les premières sont responsables de l'échec du scrutin de 2003, les secondes, en 2013, se sont clairement prononcées, bien qu'en vain, en faveur de la réforme institutionnelle qui leur était soumise. Jérôme Fourquet observe à ce propos *« qu'au clivage gauche/droite traditionnel vient de plus en plus régulièrement s'ajouter un clivage idéologique et sociologique opposant, pour faire simple, les "gagnants" et adeptes de la mondialisation aux "perdants" de cette mondialisation qui s'accrochent et défendent un cadre national centralisé et égalitaire »*.

Dans l'optique du référendum que pourrait impliquer la mise en œuvre du projet breton, le principal défi à relever, sans nul doute, sera là : convaincre les classes populaires et les populations des territoires fragilisés que leurs difficultés proviennent justement, pour une large part, d'une organisation territoriale totalement inadaptée aux enjeux contemporains, et dont l'égalitarisme de façade camoufle de plus en plus mal une impuissance croissante. La vérité est que ceux de nos concitoyens qui se débattent au quotidien afin d'assurer leur subsistance n'ont rien à attendre de la préservation du statu quo institutionnel. Pour eux, mieux vaut une collectivité forte pourvue des moyens de ses ambitions que six collectivités dont les marges de manœuvre politiques et budgétaires sont extrêmement réduites. Cette collectivité forte, ce sera l'Assemblée de Bretagne.

Conclusion

La Bretagne est un cas unique. Sise à l'extrême pointe occidentale de la France, elle ne dispose que d'une seule frontière terrestre. Au nord, sa façade maritime est hérissée d'écueils tandis que celle du sud donne sur un océan sans rivages proches. C'est en voisine et par vent de tempête que Marie Stuart aborda en 1548 à Roscoff et il fallut encore un grand péril de mer le 4 décembre 1776 pour que Benjamin Franklin, premier ambassadeur des États-Unis en France, débarquât en baie de Quiberon. Nombre de provinces périphériques ont été des lieux de rencontres pacifiques ou de batailles sanglantes. Pas la Bretagne. Aucune grande ville ne l'a marquée de son empreinte. Si la Provence rayonne par Marseille et la Bourgogne par Dijon, notre région est différente. Ses cités petites et moyennes la caractérisent bien plus volontiers que ses grandes agglomérations. Son économie aussi présente des traits singuliers, à tel point qu'elle apparaît aujourd'hui confrontée à ce que l'on peut qualifier de *« bifurcation de l'histoire »*[48] puisqu'il lui revient de répondre à quatre défis concomitants : la globalisation, la révolution technologique, le durcissement de la contrainte environnementale et le vieillissement de sa population. Leur intensité révèle que notre société est moins exposée à une simple crise passagère qu'à une véritable mutation structurelle. Et face à ces impérieux enjeux, la seule option possible est la réforme en profondeur pour s'adapter aux nouveaux paradigmes.

Le projet d'Assemblée de Bretagne constitue une partie de la réponse à ce contexte nouveau. Il a d'ores et déjà engrangé un premier succès incontestable : on en débat – et le débat fait la démocratie au moins autant que le vote.

48. Charles Erwann, Thouément Hervé, « La crise du modèle breton et les bonnets rouges », p. 122 *in L'automne des bonnets rouges, de la colère au renouveau*, Éditions dialogues, 2013.

Sous la houlette du conseiller régional Daniel Cueff et de Romain Pasquier, directeur de recherche au CNRS, un site internet a été créé[49] qui accomplit un travail utile afin de promouvoir et de donner de la substance à cette belle idée. Les échanges sont engagés, ils vont se poursuivre et, sans nul doute, s'intensifier encore. Mon seul vœu est que ce débat se déroule dans la dignité, et qu'il ne soit pas contaminé par les grossiers fantasmes auxquels les détracteurs du projet alsacien, l'an dernier, ont recouru sans vergogne. Je fais le pari qu'il intéressera les Bretons et que ceux-ci n'accepteront pas son dévoiement. Car cette question institutionnelle n'est pas un jeu, c'est une exigence.

Par un extraordinaire concours de circonstances et de volontés, une nouvelle page de l'histoire de la Bretagne va donc s'écrire en 2014. J'essaie d'y contribuer à ma manière. Je n'ai pourtant pas l'outrecuidance de prétendre que le projet que je promeus s'impose comme une évidence inattaquable. Que chacun le prenne donc pour ce qu'il est – une invitation au mouvement et un appel à l'imagination face à l'inconcevable inertie, si lourde de menaces pour l'avenir, des tenants d'un ordre établi intangible.

49. www.laregionalisation-bretagne.fr

Remerciements

Ce manifeste est le fruit de réflexions collectives et doit donc tout à celles et à ceux qui l'ont nourri consciemment… ou non ! Un très grand merci en particulier à Alain Tanguy pour ses commentaires incisifs, pour sa relecture critique et son aide indispensable.

Merci aussi à Charles Kermarec pour avoir, avec enthousiasme, permis cette publication.

Spéciale dédicace affectueuse à Julien et Agnès qui subissent les contraintes de mes engagements et qui en supportent stoïquement les conséquences dans leur vie quotidienne.

Un salut particulier à celles et ceux qui vivent et travaillent avec moi en Bretagne et à Paris. Ce livre est pour moi l'occasion de leur dire ma gratitude et mon plaisir de les avoir à mes côtés. Grâce à eux, je puis appliquer cette sage recommandation élégamment formulée par Freud : *« Puisqu'il est impossible de voir clairement, tâchons de projeter sur l'obscurité quelques lumières. »*

Table des matières

Dans la collection Nouvelles Ouvertures

Jacques Baguenard
L'État, incontournable garde-fou
Croyance(s)
Pouvoir(s)

Michel Treguer
Avec le temps

Irène Frachon
Mediator 150 mg – Combien de morts ?

Christiane Frémont
Que me contez-vous là ? Diderot, la fabrique du réel

Philippe Villemus
Le patron, le footballeur et le smicard

Julien Pfyffer
Trésor rouge

Nono
Dessine-moi la philo !
Les colles de Pont-Aven

Léo Pitte
Le quiz des promesses électorales

Paul Goupil
La parole des paysans

Charles-Édouard Bouée
Comment la Chine change le monde

Michel Prat
Des choses plus claires que le jour

Kofi Yamgnane
Afrique, introuvable démocratie

Jacques Baguenard, Erwann Charles,
René Perez, Charles Thouement
Préface d'Emmanuel Todd
L'automne des bonnets rouges,
de la colère au renouveau

Jean Rohou
Liberté ? Fraternité ? Inégalités !
Le Christ s'est arrêté à Rome
Catholiques et Bretons toujours ?

éditions dialogues
54, rue Jean Macé
29200 Brest.

Achevé d'imprimer en juin 2014
sur les presses de Ouestélio - Brest
Mise en page : David Cren

Dépôt légal : 2e trimestre 2013
ISBN 978-2-918135-94-4